Arnold Willer
Der Römerbrief —
eine dekalogische Komposition

Arbeiten zur Theologie
Heft 66

Herausgegeben vom Calwer Verlagsverein

Arnold Willer

Der Römerbrief —
eine dekalogische Komposition

CALWER VERLAG STUTTGART

CIP-Kurztitelaufnahme der Deutschen Bibliothek:

Willer, Arnold
Der Römerbrief : e. dekalog. Komposition /
Arnold Willer. – Stuttgart : Calwer Verlag,
1981

    (Arbeiten zur Theologie : Reihe 1 ; H. 66)
    ISBN 3-7668-0672-6
NE: Arbeiten zur Theologie / 1

ISBN 3-7668-0672-6

© 1981 by Calwer Verlag Stuttgart
Printed in Germany
Satz + Druck: Ernst Leyh, Stuttgart.

Inhalt

Vorwort

Diese Abhandlung ist nicht von heute auf morgen entstanden. Ihre Anfänge liegen mehr als vierzig Jahre zurück. Damals wurde im Kontext der besonderen Zeitumstände das Problem der natürlichen Theologie mit Leidenschaft diskutiert. Die Position, der ich mich verpflichtet wußte, kam am deutlichsten in der Ersten These der Barmer Theologischen Erklärung von 1934 zum Ausdruck. Für die Gegenposition kann Paul Althaus, der eifrige Verfechter der *revelatio generalis,* genannt werden. Noch der wie ein triumphierender Nachhall klingende Satz: »Keiner ›lutherischen‹ Interpretation dieser These wird es gelingen, sie als im Einklange mit der Schrift ... zu erweisen« (Die christliche Wahrheit, 1. Band, S. 71, Gütersloh 1947) legt Zeugnis von der unerschütterlichen Gewißheit dieser Gegenstimme ab. Von diesem Widerstreit war ich angefochten. Zugegebenermaßen nicht unbedingt in der von Althaus gewiesenen Richtung. Ich habe immer einer exegetisch begründeten *confessio* den Vorzug vor einer konfessionell bevorworteten Exegese gegeben. Aber daß Paulus in den Anfangskapiteln des Römerbriefes Widerspruch gegen Barmen I erheben könne, trieb mich ernstlich um.

Es waren ungewöhnliche Zeiten damals; ich hauste mit einem NT Graece und meinem Problem jenseits des Polarkreises in einem Unterstand an der Lapplandfront. Da gab es dann immer wieder einmal auch Zeit zum Forschen und zum Nachdenken. In der Einfalt des Herzens verteilte ich ἀσέβεια und ἀδικία (1,18) – wie andere es vor mir getan haben – auf die beiden Dekalogtafeln und leitete – was zuvor noch niemand getan hatte – von Kommentaren unbelehrt und unbeschwert Konsequenzen für das weitere Verständnis des Briefes daraus ab. Als Kriegsheimkehrer griff ich dann zu den Kommentaren. Statt einer Bestätigung meiner Sicht empfing ich nur immer wieder Auskünfte, die mich zu dem Schluß zwangen, ich müsse wohl einem Fündlein aufgesessen sein, das in die Irre führe.

Muß ich meine Enttäuschung noch eigens gestehen? Doch war ich bereit, Belehrung zu empfangen, hätten mich nur die Argumente der gelehrten Ausleger überzeugt. Eben das aber war nicht der Fall. Ich fahndete dann nach den Gründen für die unterschiedlichen Auffassungen, betrieb Auslegungsgeschichte, fragte nach den philosophischen Prämissen exegetischer Vollzüge. Otto Weber hat freundlicherweise einmal hunderte von Seiten, gefüllt mit Bemühungen aus solchem Umfeld, gelesen und wohlgefällig beurteilt. Er hat mir aber dann angeraten, ich möge ein Teilgebiet daraus verselbständigen und zu einer in sich geschlossenen Arbeit ausbauen. Erst durch eine solche Arbeit ausgewiesen, könne ich es wagen, meine Auffassung vom Römerbrief vorzulegen. Ich müsse sonst damit rechnen, zwischen Hellenisten und Judaisten völlig zerrieben zu werden.

Im Doppelamt als Pfarrer und Superintendent habe ich weder das eine noch das andere nebenher zustande bringen können. Ich mußte der Angelegenheit einen vorläufigen Abschied geben. So habe ich die gesammelten Papiere im untersten Fach meines Schreibtisches verstaut und sie in Jahrzehnten nicht mehr angerührt. Jetzt im Ruhestand endlich konnte ich sie wieder hervorholen. Doch die theologische Landschaft hatte sich inzwischen verwandelt. Theologie wird weithin in anderen Gefolgschaften betrieben. Aber Paulus ist aktuell geblieben, oder sollte es doch sein. So habe ich mich unter Beiseitelassung von allerlei Beiwerk noch einmal daran gemacht, ganz von neuem aufzuschreiben, was mir abweichend von anderen am Römerbrief aufgegangen ist. Im Vollzug der Niederschrift, die das Werk weniger Monate ist, sind mir noch Einsichten gekommen, an die ich zu Anfang nicht dachte. Sie sollen darum hier in ihrem Zusammenhang dargestellt und auf ihre Bedeutung für das Gesamtverständnis des Briefes hin ausgelegt werden. Dabei sollen alle Schritte des Erkenntnisweges in ihrer Aufeinanderfolge nachgezeichnet werden, um die Überprüfung zu erleichtern. Schließlich soll auch nicht verschwiegen werden, welchen außergewöhnlichen Quellen ich hilfreiche Einsichten verdanke.

Das beigegebene Inhaltsverzeichnis stellt keine systematische Gliederung dar, sondern zeichnet im Rahmen einer gängigen Grundeinteilung des Briefes, von Frage zu Frage eilend, den Arbeitsgang des Suchens und Findens nach. Die gefundene Briefgliederung folgt erst am Schluß.

Die Sprache weicht sehr von akademischer Gepflogenheit ab. Die Vorliebe für Bildvergleiche mag auffallen. Darstellende und dialogische Redeweise gehen ineinander über. Ich und wir wechseln darin miteinander ab. Das mag daher rühren, daß ich mein Lebtag gern unterrichtet habe. Bei wichtigen Denkvorgängen habe ich, auch wenn ich allein bin, immer irgendwie die Vorstellung, ich sei inmitten einer lebendigen Oberstufenklasse des Gütersloher Gymnasiums, an dem ich lange Jahre tätig war. Das färbt dann wohl auf die Art der Mitteilung ab. Möge es nicht nur als nachteilig empfunden werden! Dem Calwer Verlag danke ich für die Aufnahme in seine Reihe, dem Landeskirchenamt der Evangelischen Kirche von Westfalen, insbesondere Herrn Präses Dr. Reiß, für die Gewährung eines Druckkosten-Zuschusses.

In einem Kurzgespräch habe ich vor Jahren einmal Karl Barth die Ausgangs-
position dieser Arbeit mitteilen können. Dieses Gespräch fand in Bielefeld
statt, als Barth dort »Das Geschenk der Freiheit« vortrug. Karl Barth sagte
mir: »Das klingt einleuchtend, man wird es prüfen müssen.« Ich hatte damals
aber nicht Griffiges in der Hand, das ich hätte vorlegen können. Das kann ich
erst heute und tue es hiermit. Meine Freude wäre groß, wenn solch ein Prüfen
nunmehr geschähe.

Lippstadt, 24. Dezember 1980   A. W.

I.

Die Apokalypse des Zornes Gottes

Ausgangspunkt ist der *Lasterkatalog* 1, 29–31. Hier glaube ich den Schlüssel zu erkennen, der den Aufbau des ganzen Briefes erschließt. Jeder Kenner der Auslegungsgeschichte wird sofort einwenden, das sei ein Fehlstart. Es gilt ja als ausgemachte Sache, daß alle Bemühungen früherer Exegetengenerationen, den Lasterkatalog auf eine systematische Ordnung zu befragen, ergebnislos geblieben sind. Ältere oder neuere Kommentare, alle sagen mir – seit man diese Bemühungen eingestellt hat – darüber dasselbe. Etwa Godet (127): »Der Apostel läßt offenbar seiner Feder den Lauf, wie er denn fühlt, daß von allen schlimmen Eigenschaften, die ihm einfallen mögen, keine unangebracht ist.« Oder Schlatter (69): »Paulus häuft die Worte für den Bruch des Rechts und die Verweigerung der Gemeinschaft, die das Zusammenleben der Menschen verderben.« Ebenso Käsemann (46): »Die Laster quellen gleichsam überstürzt aus der Pandorabüchse.« Es ist also bisher bei der Feststellung geblieben, die schon B. Weiss getroffen hatte, um eine unfruchtbare Diskussion abzuschließen. Er spricht von »völlig vergeblichen Versuchen«, deren Ergebnis »nur der schlagendste Beweis« sei, »daß hier keine prämeditierte Ordnung waltet« (96). Ja, man hat sogar den »Verzicht auf sachliche Systematik« schon gelobt, denn gerade durch ihn werde die »auf alle Gebiete des Lebens übergreifende haltlose Verderbnis des aus der Ordnung Gottes gefallenen ... Menschen« besonders »eindrucksvoll« gekennzeichnet, (Kürzinger [15]).

Aufschlüsselung

Lediglich eine formelle (Althaus [16]), rhetorische (Michel [61], Käsemann [46]) Gliederung wird zugestanden. Dabei wird auf die Paronomasien φθόνου φόνου; ἀσυνέτους ἀσυνθέτους hingewiesen, von denen Lietzmann (36) sagt, sie stünden »ohne Rücksicht auf den Sinn, nur um des Klanges willen« beisammen. Th. Zahn (103) sagt immerhin, die Paronomasien seien »beabsichtigt« doch verschweigt er, wozu. Darüber hinaus werden Wortgruppen unterschieden, Wortgestalt (Kasus) und Sprachlaut spielen dabei eine Rolle. So unterscheidet man mehrere Gruppen:

1. die durch πεπληρωμένους eingeleitete Gruppe der Dative. Michel und Käsemann machen auf den Gleichlaut der Endsilben aufmerksam.
2. die durch μεστούς eingeleitete Gruppe der Genetive,
3. die Gruppe der Akkusative, bei der das übergreifende Einleitungswort fehlt.
Eine gewisse Unsicherheit besteht hinsichtlich der doppelgliedrigen Wendungen in Vers 30.
Bewirken sie eine Zäsur? Haben sie gar einen eigenständigen Platz? Wir geben hier jeder der beiden Wendungen eine eigene Nummer – die Erklärung dafür wird später gegeben werden – und zählen
4. ἐφευρετὰς κακῶν
5. γονεῦσιν ἀπειθεῖς
6. Eine deutliche Sonderstellung haben die eingliedrigen α – Privativa, die darum als eigene Gruppe betrachtet werden.
Diese formalistische Aufschlüsselung stellt, bildlich gesprochen, eine gestufte Kaskade dar. Der Frage, warum der Apostel eine solche Stufung vorgenommen hat, ist, wir sahen es schon, seit langem niemand mehr ernstlich nachgegangen. Zwar hat es an Spezialuntersuchungen nicht gefehlt, in denen der paulinische Lasterkatalog mit verwandten Gebilden in und außerhalb der Bibel, so insbesondere in der Stoa, im hellenistischen Judentum und im Schrifttum von Qumran verglichen worden ist.
Dabei trat zutage, daß Paulus ähnlich wie die Stoa und das hellenistische Judentum sehr ausführlich auch Gesinnungssünden aufzählt, die in alttestamentlichen Sündenregistern fehlen (Lietzmann, 35). Was sich sonst von dieser umfangreichen Literatur (Nachweise bei Lietzmann und für die Folgezeit bei Michel und Käsemann) in den Römerbrief-Kommentaren niedergeschlagen hat, läßt nicht erkennen, daß dem Verständnis der Sonderart des paulinischen Katalogs dadurch Förderung widerfahren sei. Ob das daran liegt, daß man bei der Gegenüberstellung der verschiedenen Kataloge dem Typenvergleich mehr Aufmerksamkeit geschenkt hat als der Frage nach dem jeweiligen Kontext? Auf den Kontext kommt es doch wesentlich an. So gehören beispielsweise alle zum Vergleich heranzuziehenden Kataloge aus anderen Bereichen des Neuen Testaments paränetischen Zusammenhängen an. Konkrete Seelsorgesituationen in den Gemeinden setzen die Akzente. Schemata verbieten sich damit von selbst.
Der Lasterkatalog im Römerbrief hingegen erhält seine Einzigartigkeit dadurch, daß er seinen Sitz in einem Kontext hat, dem die Erhellung der menschlichen Existenz unter Gottes Zorn zur Aufgabe gestellt ist. Keine konkrete Situation beeinflußt den Aufbau. Es wird in so grundsätzlicher Weise geredet, daß eine geordnete Gedankenfolge zu erwarten wäre. Zudem ist der Lasterkatalog fest

eingefügt in einen gegliederten Argumentationsgang. Darum müssen Form und Inhalt dieses Katalogs von diesem Argumentationsgang aus interpretiert werden.

Nun bietet der Kontext allerlei Anlaß, Bezugnahmen auf das Alte Testament, nicht nur auf den Dekalog, sondern besonders auch auf die ersten Genesiskapitel, zu vermuten. Wann immer jedoch einer einen Deutungsversuch in dieser Richtung unternahm, erfuhr er Widerspruch. Das hat seinen Grund darin, daß man – wie schon durchgängig die Kapitelüberschriften in den Kommentaren zeigen – davon ausging, Paulus meine in Kapitel 1 im exklusiven Sinne die Heiden, denen er dann die in Kapitel 2 ausdrücklich angeredeten Juden per Addition hinzufügen wolle. Ich möchte darum die Frage, in welchem Verhältnis die in Kapitel 2 Angeredeten zu den in Kapitel 1 Gemeinten stehen, vorab offen lassen. Eine verfrühte Entscheidung könnte in nachteiliger Weise interpretationswirksam werden. Es steht ja auch zu erwarten, daß dann, wenn deutlich geworden ist, was Paulus sagt, auch klar werden wird, von wem und für wen es gelten soll. Somit ist der Weg frei, auf die im Kontext des Lasterkatalogs enthaltenen Anklänge an das Alte Testament unbefangen zuzugehen. Die Frage, mit der das geschieht, will zunächst erkunden, ob sich nicht doch die Formalstufen des Lasterkataloges auch inhaltlich definieren lassen.

Die Dativreihe

Wir beginnen mit der Dativreihe. ἀδικία steht nicht ohne Grund am Anfang. Es hat nicht nur eine Beziehung zum δίκαιος des Themas 1,17. Es hat auch sammelnden Charakter. Darum fasse ich es mit Daxer, (48); gegen Käsemann, (47) als Summenwort auf. Mit Schlatter (49) gegen Käsemann (34) nehme ich an, daß Paulus bei ἀσέβεια und ἀδικία 1,18 an die beiden Dekalogtafeln denkt[1]. Dann aber dürfte wenige Verse später ἀδικία diesen inhaltlichen Sinn nicht schon wieder eingebüßt haben. So stelle ich es für sich – und verstehe nach einem gedachten Doppelpunkt die Folgewörter als Explikationen nach der Ordnung des Dekalogs.

Da die Konfessionen die Gebote kürzen und unterschiedlich zählen, Paulus aber den ursprünglichen biblischen Wortlaut im Sinne hat, muß ich für meine Darstellung einen Weg finden, der Mißverständnisse ausschließt. Darum numeriere

---

[1] Schlatter begründet seine Annahme lediglich subjektiv: »In Paulus war der Dekalog lebendig« (S. 49). Er zieht daraus keine Konsequenz für den Folgetext. Gerade das aber ist hier die Absicht.

und definiere ich die Schutzgüter, die in der zweiten Dekalogtafel vor fremdem Zugriff bewahrt werden sollen: 1. Leib und Leben, 2. Ehe und Familie, 3. Hab und Gut, 4. Ruf und Ehre.

Nun hapert es bekanntlich mit der Überlieferungstreue der Dativreihe. Die Handschriften haben sehr unterschiedliche Reihenfolgen. Der Begriffsbestand selbst jedoch ist überall nahezu gleich. Lediglich πορνεία ist fraglich, es fehlt in den älteren Quellen. Rubriziere ich, ohne auf irgendeine der überlieferten Reihenfolgen zu achten, einfach aus diesem Bestande die Einzelbegriffe den obigen Definitionen möglichst sachgemäß zu, πορνεία zunächst auslassend, dann erhalte ich:

	1	2	3	4
ἀδικία:	πονηρία		πλεονεξία	κακία
Unrecht:	Bosheit		Habgier	Gemeinheit

Diese so gefundene Abfolge entspricht derjenigen, der Lietzmann nach kritischer Analyse aller erreichbaren Handschriften und nach Ausscheidung aller mutmaßlich sekundären Varianten einen hohen Wahrscheinlichkeitsgrad beimißt, die Originalreihe zu sein. Demnach wäre, auch wenn πορνεία ausfiele, ein beabsichtigter Dekalogbezug immerhin möglich. Nun liegt πορνεία, von der Textgeschichte aufbewahrt, gleichsam paßgerecht vor der Mauerlücke einer Wand, an der schon oftmals Reparaturen ausgeführt wurden. Ist denn schon mit Sicherheit auszuschließen, daß es nicht doch echt ist? B. Weiss und andere sind über die schwache Bezeugung geradezu erfreut. Sie folgern, πορνεία müsse gestrichen werden, weil von sexuellen Vergehen vorher schon ausführlich gehandelt worden sei. Könnte eben dasselbe nicht ein sehr früher Abschreiber auch schon einmal gedacht haben, eben der, der dann für den Erbverlust verantwortlich wäre? Könnte das spätere Wiederauftauchen des Wortes auf gar keinen Fall aus altem Bestande erfolgt sein? Die Textgeschichte hat doch immer noch viele Rätsel. Auch könnte Paulus das Wort sehr wohl gedacht, aber beim Diktat vergessen haben – oder Tertius, dem Sekretär, könnte es bei der Nachschrift entgangen sein, Vorgänge, die sich beim Diktatschreiben bis zum heutigen Tage immer wieder einmal ereignen. Aber das sind ja müßige Fragen, so lange nicht der Beweis erbracht ist, daß wir hier wirklich an den Dekalog zu denken haben. Bisher halten wir diese These für nicht widerlegt, aber auch durchaus noch nicht für hinreichend bestätigt. Wir müssen nach zusätzlichen Hinweisen suchen. Darum wenden wir uns jetzt der zweiten Gruppe zu.

Hier liegen Überlieferungsprobleme nicht vor. Wir verfahren mit den Gliedern dieser Gruppe in derselben Weise wie wir es mit der Dativgruppe taten. Die Dativgruppe behalten wir dabei im Blick. πορνεία tragen wir, mit einem Fragezeichen versehen, in sie ein. Es ergibt sich folgendes Schema:

Summe	1	2	3	4
ἀδικία:	πονηρία	πορνεία?	πλεονεξία	κακία
Unrecht:	Bosheit	Unzucht?	Habgier	Gemeinheit
μεστὸς φθόνου:	φόνος	ἔρις	δόλος	κακοήθεια
voll Mißgunst	Leben:	Gemeinschaft:	Eigentum:	Ehre:
im Blick auf	Mordlust	Streitsucht	Hinterlist	Niedertracht
des Nächsten				

Das erste Glied φθόνου schießt über. Fassen wir es wie ἀδικία als summarischen Begriff auf, dann hat es eine bedeutungswandelnde Wirkung auf die von ihm abhängigen Folgeworte. φόνος heißt dann Mordlust, ἔρις Streitsucht, δόλος besitzt schon von sich aus Absichtscharakter und κακοήθεια ist ein Kompositum aus κακία mit einem Gesinnungsfaktor. Die untereinandergeschriebenen Wörter, die Vertikalgruppen, haben somit unverkennbar eine Sachverwandtschaft. Dabei übt der Platz im Schema eine semantische Mitwirkung aus. Ich denke vergleichsweise an das uns im Chemieunterricht der Schule vorgeführte Periodische System der Elemente, bei dem allein von ihrem Platz im Schema aus Wertigkeit und Eigenschaften noch nicht gefundener Atome vorherbestimmt werden konnten. ἔρις ist für sich allein genommen nicht auf das Verhältnis der Geschlechter eingeengt, aber es kann dafür stehen[2], vergleiche auch Wortverbindungen wie Friede und Keuschheit und deren negative Äquivalente. δόλος als betrügerische List kann auch auf anderes aus sein als auf das Erlangen, Mehren und Behalten von Besitz. Aber es kann auch das meinen. Wichtiger jedoch als die Verwandtschaft innerhalb der vertikalen Gruppen ist uns die Unterscheidung der horizontalen Reihen voneinander. Denn allein mit der Markierung ihres Unterschiedes betreiben wir die Sinnerschließung der paulinischen Kaskadenstufen. Dazu müssen wir die die Gruppen einleitenden übergeordneten Wörter vergleichen.

Das πεπληρωμένους der Dativgruppe bezeichnet ein anderes *voll* als das μεστούς

---

[2] Übrigens weist auch die Rolle, die der Eris in der griechischen Mythologie zufällt, in diese Richtung; sie ist es, die in der Erzählung vom Parisurteil den die Eifersucht auslösenden Apfel wirft.

der Genetivgruppe. πεπληρωμένος sagt etwa »das Maß ist voll« oder »ein Straf-register ist voll«. Reden wir also von einem Adikia-register! Was in diesem Register steht, sind *Urteile*. Sie beruhen auf konstatierbaren und also registrier-baren *Delikten*. Bei μεστός denken wir an das Übervollsein eines Gefäßes. Der Inhalt quillt über. Er ist nicht mehr unter dem Deckel zu halten. φθόνου müssen wir uns eng mit μεστούς zusammengezogen denken. Indem wir uns erinnern, daß der Dekalog mit einem Gebot schließt, das nicht nur böse Taten verbietet, sondern schon Regungen, Tatabsichten, Begierden untersagt, erkennen wir, daß πεστοὺς φθόνου dem hebr. chamad = ἐπιθυμεῖν des letzten Gebotes entspricht. Die ihm folgenden Begriffe haben es nicht mehr mit konstatierbaren Delikten zu tun. Hier wird nicht mehr nur gesehen, was vor Augen ist. Der Blick geht tiefer. Er dringt ins Innere. Er stellt *Willensregungen* fest, die einem richterlichen Auge verborgen wären.

Das letzte Gebot charakterisiert das Begehren als ein *Habenwollen*. Dabei zählen Personen gleicherweise wie Sachen zur begehrenswerten Habe. Die LXX leitet hier einen interessanten Prozeß zur Differenzierung ein. Abweichend von der Masora wird Ex. 20,17 die Ehefrau des Nächsten in einem selbständigen Satz vorangestellt. Dann erst folgen Haus und Hausgesinde. Durch Hinzufügung des Ackers werden Knecht und Magd eigenartig zu Arbeitskräften versächlicht. So tritt ein Unterschied in der Motivation hervor. Der begehrliche Blick auf eine Person ist etwas anderes als das Trachten nach einer Sachhabe. Dennoch können beide als ein Habenwollen zusammengefaßt werden. So wären Ehebruch und Diebstahl aus einer gemeinsamen Wurzel begründbar. Die beiden anderen Ver-bote: das Töten und die Verletzung der Ehre eines anderen können auf solche Weise nicht ausreichend verständlich gemacht werden. Für sie ist nach einer anderen Motivation zu fragen. Das unternimmt Paulus mit der nun folgenden Wortgruppe.

Die Akkusativreihe, erster Teil

Wir zählen sie vorerst nur von ψιθυριστάς[3] bis ἀλαζόνας. Zunächst fällt auf, daß ein diese Reihe zusammenfassendes Einleitungswort fehlt. Das ist notwendiger-weise so. Noch zwar vollzieht Paulus nicht den Schritt von Taten über Tatabsich-ten zu Tätern. Das wird erst später geschehen. Zunächst will er das *Begehren* noch gründlicher ausloten. Dazu bohrt er bis in eine Schicht, die *tiefer* sitzt *als das Habenwollen,* die wohl gar bis unter die Schwelle des Wachbewußtseins

---

[3] Der Verteiler im Nestletext sitzt falsch.

reicht. Wozu entehrt, verneint, vernichtet einer des anderen Existenz moralisch oder physisch? Wodurch werden Rufmord und Mord motiviert? Das Haben-wollen reicht dafür nicht aus. Da will einer als er selbst, als Person, Namen, Rang und Platz eines anderen einnehmen, und eben darum muß dieser andere weg. Das läßt sich nicht mehr zureichend mit sächlichen Begriffen ausdrücken, dazu müssen personale Strukturen her. Darum fehlt hier das übergreifende Einleitungswort. Die Begriffe dieser Reihe werden zu Personenbeschreibungen, die unmittelbar auf αὐτούς 1,28 bezogen sind.

Diskutieren wir vorab den *Stand der Auslegung;* θεοστυγεῖς ist immer wie-der aufgefallen. Schlatter (69) empfindet als befremdlich, daß es unter Aus-drücke gemengt sei, die alle ein gegnerisches Verhalten zu anderen Menschen besagen. Er unternimmt die Deutung, der θεοστυγής dringe mit seinem bösen Tun bis in eine Zone der Ruchlosigkeit vor, die Gottes Zorn auslösen müsse, so daß auch die Menschen vor solchem Frevler auf Abstand gingen. Damit ebnet Schlatter zugleich den Unterschied zwischen aktiv und passiv ein, der anderen Auslegern viel Schwierigkeiten bereitet hat. θεοστυγής ist in der klassischen Graecität (Euripides) nur passivisch bezeugt. Müßten wir es auch hier so auf-fassen, dann würden wir es inmitten der anderen Begriffe, die sämtlich aktiv sind, als störend empfinden. Darum hat Th. Zahn (103) – Hofmann und anderen darin folgend – θεοστυγεῖς als Adjektiv gedeutet und mit ὑβριστάς als dem ihm zugehörigen Substantiv verbunden. Folgerichtig mußte er dann mit den beiden vorausgehenden und den beiden nachfolgenden Worten ähnlich verfahren. Michel findet diesen Vorschlag ansprechend (61). Käsemann (46) hält ihn für möglich, aber für unwahrscheinlich. Die meisten Ausleger verstehen heute das Wort aktiv (vgl. auch W. Bauer, Wörterbuch). Wer so liest, kann auf die Be-griffsvermählungen verzichten und hat überdies den Gewinn, daß die in der Wörterfolge erkennbare Klimax, auf die schon B. Weiss (94 f) hingewiesen hat, ohne sie jedoch auszuwerten, keine Einbuße erleidet. Das ist der wesentliche Grund dafür, warum ich mich dieser Auffassung anschließe. Um die Klimax hervorzuheben, schreiben wir die Wörtergruppe in folgender Form:

Diffamierung:	Propaganda:
θεοστυγεῖς	ὑβριστάς
Gotthasser	Übermenschen
καταλάλους	
Niederschreier	ὑπερηφάνους
	Geltungssüchtige
ψιθυριστάς	ἀλαζόνας
Zischler	Prahlhänse

Diese Leseform macht sichtbar, daß allein schon die Zusammenstellung dieser Wörter ein Kabinettstück begrifflicher Präzision ist. Der linke Schenkel des Dreiecks, von unten nach oben gelesen, führt Ausdrücke auf, die in zunehmender Weise Absagen vollziehen. Sie reichen von zischelnder Verächtlichmachung über lautstarke Diffamierung bis zur Verneinung Gottes. Der rechte Schenkel, einmal auch von unten nach oben, also in rückwärtiger Folge gelesen, enthält Ausdrücke sich steigernder Selbstüberhebung von leerem Prahlen über eitle Schaumschlägerei bis zu frivolem Übermut. Quergelesen, stehen einander jeweils Wörter gegenüber, die ein antithetisches Verhältnis zueinander haben. Dabei denkt Paulus von Wort zu Wort wohl kaum an verschiedene Menschentypen, sondern – immer wieder anders – an ein- und denselben, dessen Äußerungen – es handelt sich durchweg um Ausdrücke des Redens – sein Innerstes verraten, das voller Spannung, Motorik und Sprengkraft ist. Ein Funke – die Kettenreaktion ist nicht mehr aufzuhalten. Paulus dringt in unerhörte Tiefschichten ein. Unter Hinweis auf diese Wörterstaffel könnte man einen Prioritätenstreit zugunsten des Apostels anstrengen gegen solche, die sich viel später um die Erschließung solcher menschlichen Urgründe bemüht haben. Doch das liegt auf einem anderen Feld. Folgen wir der Aussage des Paulus: In einer sich immerfort steigernden Überheblichkeit, immer heftiger und lauter werdend, setzt der Mensch seine Gegner herab, macht ihnen Platz und Rang und Namen streitig. Zuletzt will er den Gipfel einspitzig haben. Darum muß Gott weg. In seiner Hybris will der Emporkömmling Mensch Gottes Sitz einnehmen. Nicht mehr nur als ein Habenwollen, sondern als ein *Seinwollen* wird so der tiefste *Beweggrund* menschlichen Begehrens aufgedeckt.

Die Akkusativreihe, Fortsetzung

Den nächsten Begriff ἐφευρετής κακῶν: Ränkeschmied, schreiben wir in eine eigene Zeile, denn mit ihm vollzieht Paulus einen neuen Schritt. Von Tat, Tatabsicht und Beweggrund hat er gesprochen. Jetzt spricht er vom *Täter*. Ihn stellt er an den Pranger, sein Lauern auf den günstigsten Augenblick zum Ausbruch, den Vollzug seiner Tat und seinen Erfolg. Immer wieder machen die Exegeten darauf aufmerksam, daß Antiochus Epiphanes 2. Makk. 7,31 πάσης κακίας εὑρετής heißt. Damit beschwören sie die Vision der verruchten Geschichtsungeheuer herauf. Sicherlich nicht zu unrecht, denn die sind ja gewiß bis in jüngste Zeitepochen Musterexemplare zur Veranschaulichung dessen, was Paulus eben gesagt hat. Aber wird damit unser Blick nicht doch in eine falsche Bahn gelenkt? Wollte Paulus uns auf die großen, Abscheu erregenden Ausnahmen hinweisen? Gewißlich nicht. Würde er uns sonst so jäh einen so krassen Szenenwechsel zumuten, wie er es tut, wenn er zum nächsten Ausdruck übergeht? So einfach dürfte der Brückenschlag von ἐφευρετής κακῶν zu γονεῦσιν ἀπειθής, den Eltern ungehorsam, doch kaum gelingen wie Godet (129) vorschlägt: Die berühmten Bösewichter hätten eben nach der Regel, daß einer, der ein Häkchen werden will, sich beizeiten krümmt, schon in der Kinderstube mit ihrer Bosheit angefangen. Paulus will eben nicht von den Ausnahmen, sondern von der Regel sprechen. Darum reißt er uns von den »unmenschlichen Tyrannen« (Zahn, 103) weg und führt uns dorthin, wo jeder von uns immer ist, in die Alltäglichkeit. Er spricht nicht von diesem oder jenem, sondern von jedermann. Das allein entspricht doch auch seiner ganzen bisherigen Gedankenführung. Wie durch ein Mikroskop betrachtet er den Gegenstand seines Interesses durch ein immer schärfer eingestelltes Okular. Sein Interesse gilt dem Menschen. Bei der gröbsten Einstellung fand er die *Delikte*. Da mochte manch einer noch sagen können, er sei nicht betroffen. Die feinere Einstellung, mit deren Hilfe *Willensregungen* erkennbar wurden, vergrößerte den Umkreis der Betroffenen erheblich. Die Feinsteinstellung endlich, die als *Beweggrund* das *Seinwollen* fand, will keine Ausnahme mehr zulassen.

Aber das γονεῦσιν ἀπειθής hat für uns noch einen anderen Aspekt, der uns veranlaßt, auch diesem Wort eine eigene Zeile zu geben. Mochte man früher gerade auch an diesen Ausdruck denken, wenn man das ungeordnete Gemenge von Gesinnungen unter schlimme und weniger schlimme Taten beklagte, so ist uns dieses Wort an eben seinem Platz eine besonders starke Stütze für unsere These vom Dekalogbezug der ganzen Wörterreihe. Alle anderen Gebote der zweiten Tafel hat Paulus eben in erschöpfender Weise dargeboten. Nun macht er die Fortsetzung: γονεῦσιν ἀπειθής ist eben jetzt an der Reihe. Wir sind also keiner eigenen Erfindung nachgegangen, sondern wissen uns nun schon mit sicherer gewordenen Schritten dem Gedankengang des Apostels selber auf der Spur.

Die α-Privativareihe

Beginnen wir mit einer kurzen Zusammenfassung dessen, was wir bisher fanden! Das geschieht am besten mit einem neuen Bild: Da ist ein Baum. In seinem Stamme und in seinem Geäst steigen wirksame Triebsäfte auf. Sie bringen Blätter und Blüten hervor. Schließlich zeitigt der Baum seine Früchte (Matth. 7,20). Dieses Bild kommt uns wie ein Webmuster vor, das der Tuchwirker Paulus seinem Werke einwebt. Noch sitzt er am Webstuhl, um seine Arbeit fortzuführen. So vermuten wir, daß, was nun noch kommt, die Wurzeln des Baumes sein werden. Weiter vermuten wir – das Bild verlassend – daß die noch folgenden Begriffe von der ersten Dekalogtafel her verstanden werden wollen. Erst, wenn eine solche Interpretation gelingt, hätte unsere These ihr volles Anrecht auf Bestand erhalten. Die Begriffe fallen durch das α-privativum auf. Sie setzen damit ein negatives Vorzeichen vor positive Inhalte. War bisher immerfort von der *Anwesenheit von Bösem* die Rede, so folgern wir, es werde jetzt die *Abwesenheit von Gutem* zur Sprache kommen. Darum wählen wir den Weg, nacheinander aus jedem der Gebote der ersten Dekalogtafel – der Zählung von Ex. 20 folgend[4] – das in ihm jeweils gemeinte Gute in eine Art Scopus-Begriff zu fassen. Mit diesen so gewonnenen Begriffen treten wir dann an die α-privativa-Ausdrücke des Paulus heran.

Das erste Gebot (Ex. 20,2–3)

Im ersten Gebot spricht Gott: »Ich bin der Herr, dein Gott.« Der Mensch darf Kind sein im Hause Gottes. Gott will Herr sein im Hause des Menschen. Der Mensch ist Gottes Kind und Gottes Diener zugleich. Das ist seine *Wahrheit* (Röm. 1, 25). Nicht ein Wissen des Kopfes, sondern seine Seinswahrheit, die wie ein Haus ist, darin er wohnen darf. Verneint der Mensch diese Wahrheit, verwandelt er sie ἔν τῷ ψεύδει, dann ist er draußen. Paulus nennt ihn ἀσύνετος, unvernünftig.

Das zweite Gebot (Ex. 20,4–5a)

An Gottes Hand ist der Mensch herrlich frei. Sein Bündnis ist seine *Freiheit*. Als Partner dieses Bundes weiß er, daß die Kreatur (hier: Name für die Welt in ihrem Gottesbezug) sehr gut ist. Bricht er den Bund, kehrt er Gott den Rücken, dann kommen ihm aus der Unmittelbarkeit zur Natur (hier: Name für die Welt ohne ihren Gottesbezug) Zweifel auf, ob Gott gut sei, ja, ob Gott sei. Der Bundbrecher kommt in die Abhängigkeit der Mächte. Er befreit sich in die Sklaverei. Paulus nennt ihn ἀσύνθετος, treulos.

---

[4] Paulus kennt ja nicht die später übliche Dekalogverkürzung, die das Bildverbot ausläßt, um dann zur Vervollständigung der Zehnzahl das letzte Gebot aufzuteilen.

Das dritte Gebot (Ex. 20,7)

Gott macht seinen Namen kund. Mensch und Mitmensch dürfen mit ihm sprechen. Das Wort ist wie eine Brücke, es schafft und erhält *Gemeinschaft* zwischen Gott und Mensch und zwischen Mensch und Mitmensch. Mit Gott sprechen heißt beten. Über Gott sprechen, das meint, hinter seinem Rücken reden, als ob er abwesend sei, zerstört die Gemeinschaft. Die Zerstörung der Gemeinschaft mit Gott hat die Zerstörung der Gemeinschaft der Mitmenschen untereinander zur Folge. Der wegen seiner Abwendung von Gott richterlich zur Rede gestellte Mensch wirft die Anklage (Apo-logie) von sich auf seinen Mitmenschen (Kategorie). Paulus nennt ihn ἄστοργος, lieblos.

Das vierte Gebot (Ex. 20,8–11; 5, 6. 12–15)

Das Sabbat-Gebot hat zwei Brennpunkte, einen liturgischen und einen diakonischen. Exodus 20,8 betont mehr den liturgischen, Deut. 5,12 mehr den diakonischen. Exodus 20,8 lädt zur Teilnahme an der *Gedenkfeier der Schöpfungsvollendung* ein. In sechs Tagen schuf Gott Himmel und Erde und ruhte am siebenten Tage. Der Friede ist das Ziel der Schöpfung. Mensch und Mitmensch sind als Kommunikanten in das *Fest des Friedens* berufen. Deut. 5,12 betont die Arbeitsruhe. Knechtsdasein und Arbeitsfron werden unterbrochen. Der Sabbat ist Gedenktag an die *Errettung aus der ägyptischen Sklaverei* durch Gottes Hand. In Erinnerung an den Empfang dieser Wohltat wird der Mensch in Pflicht genommen, den ihm anvertrauten Mitmenschen mit Einschluß des Fremdlings in den Toren daran Anteil zu geben. Er soll *soziale Gerechtigkeit* schaffen. Paulus nennt den, der die Pflicht, für das Recht des Nächsten einzutreten, mißachtet, ja, der ihm gar dieses Recht bestreitet und nimmt, ἀνελεήμων, unbarmherzig. Damit hat der eine der beiden Brennpunkte des Gebotes seine Beachtung gefunden. Das Bild Kains, der seinen Bruder Abel nicht als Koncelebranten neben sich erträgt und ihn darum beseitigt, taucht vor uns auf. Im Grunde verlangt schon diese Erinnerung nach einem zweiten Begriff. Läge ἄσπονδος, unfriedsam, nicht bereit, müßten wir schon aus Gründen der Architektur eine Lücke markieren und die Vermutung aussprechen, hier sei ein Wort ausgefallen. Darum zählen wir ἄσπονδος, mit einem Fragezeichen versehen, zum Bestand und verstehen darunter den, der seiner Berufung, Bundesgenosse beim Fest des Friedens zu sein, nicht nachkommt und damit dem Bruder gleicht, der die Mitfreude über die Heimkehr seines Bruders verweigert und die Feier, die der Vater ausgerichtet hat, meidet (Luk. 15,25 ff).

Damit haben wir unseren *Weg durch den Lasterkatalog* vollendet. Wir meinen, daß nach dem Aufweis des Dekalogbezuges ein Mangel an »prämeditierter Ordnung« nicht mehr beklagt werden dürfe. Es ist doch eine streng durchgeführte inhaltliche Systematik sichtbar geworden. Nicht nur ließ sich für die Einzelglieder aller unter formalen Gesichtspunkten gefundenen Stufen des Katalogs ein charakteristischer Bedeutungsunterschied ausmachen, es konnte auch ein von Stufe zu Stufe führender, in sich schlüssiger Gedankengang aufgewiesen werden. Dabei fiel auf, daß die begriffliche Präzision gegen Ende des Katalogs zunimmt. Darum läßt sich vermuten, daß die aus dem Bezug der ersten Dekalogtafel auf die Wörter der α-privativa-Reihe gewonnenen Grundbegriffe: Wahrheit, Freiheit, Gemeinschaft, Friede, Gerechtigkeit für den weiteren Brief von Gewicht sein werden. Wir werden darauf zu achten haben. Zuvor aber gilt unser Interesse dem Sachverhalt, daß der Lasterkatalog fest eingebunden ist in das letzte Glied des dreifachen παρέδωκεν. Dieses dreifache παρέδωκεν wiederum sitzt im Argumentationsgefüge, für das wir die Vermutung schon ausgesprochen hatten, daß Paulus bei seiner Abfassung an Gen. 1–3 gedacht habe. Die übliche Auslegung geht freilich andere Wege. Darum liefen wir leicht Gefahr, lediglich Behauptung gegen Behauptung zu stellen. Um in der Sinnerschließung des Kontextes, in dem der Lasterkatalog steht, weiterzukommen, wählen wir den Umweg über einen Exkurs.

Exkurs: Das Reinigungsopfer des Aussätzigen (Botticelli)

Bei der Suche nach Bildmaterial für den Religionsunterricht an einem Gymnasium – ich fahndete nach Details aus Michelangelos Decke in der Sixtinischen Kapelle – stieß ich unversehens auf eine Abbildung von Botticellis Fresko vom Reinigungsopfer des Aussätzigen (1481). Dieses Bild befindet sich dem Thron des Papstes gegenüber an der rechten Kapellenwand. Es gehört in den Zyklus, der vornehmlich nach der Matthäusfolge die Vita Christi schildert – mit mancherlei typologischen Beziehungen zu der Bilderfolge aus der Historia Moses an der gegenüberliegenden Wand. Die von Perugino in Zusammenarbeit mit Pintoricchio gemalte Taufe Jesu geht Botticellis Bild voran. Diesem folgt dann Ghirlandajos Darstellung von der Wahl der ersten Jünger. Somit steht zu erwarten, Botticelli habe den Auftrag gehabt, die Versuchung Jesu nach Matthäus 4 zu malen. Und in der Tat, er stellt sie auch dar. Aber der Betrachter gewinnt den

Eindruck, als wolle der Maler die Szenen der Jesuserzählung aus seinem Bilde verdrängen. Er versetzt sie in den Hintergrund – zugunsten einer volkreichen Kulthandlung, die großformatig das Gesamtbild beherrscht. Es handelt sich um den Reinigungsritus, dem sich nach Lev. 14,1 ff ein vom Aussatz Geheilter zu unterziehen hat.

Die Frage, die nun auftaucht, ist die, wie denn die Versuchung Jesu und der Reinigungsritus in ein Bild kommen. Ernst Steinmann[5] konnte anhand umfangreichen Beweismaterials herausfinden, daß Botticelli mit seinem Fresko einen doppelten Auftrag zu erfüllen hatte. Einmal sollte er die Evangelienreihe fortsetzen. So war ihm die Versuchung Jesu als Thema vorgegeben. Zum andern aber sollte der Maler, auf der ihm zur Verfügung gestellten Bildfläche – im unmittelbaren Blickfeld des thronenden Papstes – für eben diesen Papst, Sixtus IV., den Erbauer der Kapelle und Auftraggeber Botticellis, eine Huldigung darstellen. Eben dazu habe sich das Aussätzigenopfer nach Lev. 14 vorzüglich geeignet, weil eine Reihe darin enthaltener Züge sich im Rahmen einer Laudatio zu sinnfälliger Anspielung auf Sixtus IV. verwerten ließ. Es ist erstaunlich, wie Steinmann von dieser Erkenntnis aus das Bild bis in kleinste Einzelheiten interpretieren kann. Es gelingt ihm sogar, nachzuweisen, daß im Bilde namhafte Persönlichkeiten aus dem Hofstaat des Papstes porträtiert worden sind. Doch führt uns das, so interessant es ist, für unere Frage nicht weiter.

Nun behauptet Steinmann, der »Zufall« des doppelten Auftrags an Botticelli habe »zeitlich und inhaltlich völlig Getrenntes auf einer Bildfläche zusammengeführt«. Beide Darstellungen seien »ohne Beziehung zueinander gedacht«. Steinmann stellt abschließend fest: »Eine innere Beziehung zwischen der Versuchung Christi im Neuen Testament und dem Opfer des Aussätzigen im Alten Testament liegt in der Tat nicht vor – und man hat auch noch niemals versucht, sie künstlich herzustellen.«

Das gründliche Studium aller einschlägigen Bibeltexte hat mir gezeigt, daß Steinmann sich mit dieser Behauptung irrt. Eine Beziehung zwischen der Versuchung Christi und dem Reinigungsritus des Aussätzigen besteht durchaus. Sie läßt sich ohne jede »Künstelei« finden. Man schließe sich einfach der Aussagefolge des Matthäus-Evangeliums an.

Als erstes aller Wunder berichtet Matthäus (8,1–4) die Heilung eines Aussätzigen. Eben hat Jesus die Bergpredigt gehalten. Ist sie eine Art Regierungserklärung, so ist die Aussätzigenheilung die erste programmatische Regierungshandlung. Jesus schickt den Aussätzigen, der den Makarismen traut, als Geheil-

---

[5] E. Steinmann, Die Sixtinische Kapelle, Bd. 1, S. 244–255 und 459–486.

ten zum Priester, damit der Lev. 14 befohlene Ritus an ihm vollzogen werde. Botticelli bzw. sein theologischer Berater haben den Hinweis auf den alttestamentlichen Text also aus dem Matthäus-Evangelium empfangen. Daß in der Reihenfolge der Wandfresken die Bergpredigt mit der Heilung des Aussätzigen später eine nochmalige Darstellung bekommt, ist (gegen Steinmann) kein Gegenargument. Wie oft kommen auch sonst in der Kunst Doppelungen vor? Die Huldigungsabsicht allein hätte nicht ausgereicht, gerade diesen Text mit der Versuchung Jesu zu kombinieren, wenn sich nicht auch theologische Gründe für solche Zuordnung hätten finden lassen. Ja, hätten sich solche Gründe nicht finden lassen, dann hätte für die Huldigung, wenn sie denn geschehen sollte, ein anderer Weg gesucht werden müssen. Eine Auslegungstradition, die sich typologischer Vergleiche bediente, konnte eine ganze Fülle von Beziehungen entdecken.
Der Maler ist in den Möglichkeiten, den Ablauf der recht umfangreichen Zeremonien bildnerisch einzufangen, beschränkt. Er kann nur einzelne Bestandteile einbringen. Steinmann zählt eine Reihe von ihnen auf. Wir müssen indessen tiefer in den Vorgang hineinblicken. Darum verlassen wir das Bild, dem wir den Denkanstoß verdanken, Matth. 4,1–11 und Lev. 14 in ihrer Wechselbeziehung zu einander zu sehen – und wenden uns den Texten unmittelbar zu.
Für den Bittsteller sollen zwei lebende Vögel herbeigeschafft werden. Deren einer wird geschlachtet. Sein Blut fließt dabei in eine Schale mit Quellwasser, das sich dadurch rötet. In das blutrote Wasser wird der lebende Vogel eingetaucht und mittels ebenfalls darin eingetauchter Besprengungsgeräte, mit Karmesinfäden umwickelten Zedernästen und einem Ysopbüschel wird der seine Gesundsprechung Begehrende besprengt. Diese Handlung macht die Aussage: Du, recht eigentlich du, bist ein Mann des Todes.
Dann wird der Vogel mit dem blutgetränkten Gefieder in die Freiheit entlassen. Und auch diese Handlung ist eine Predigt, welche sagt: Du, recht eigentlich du, bist zur Freiheit, zum Leben, zum Leben aus dem Tode begnadigt. Und damit es dem Menschen richtig an die Haut gehe, wird eine Opferhandlung vollzogen, die alles noch einmal unterstreicht und zugleich in der vollen Reichweite seiner Bedeutsamkeit erläutert und vertieft. Der Priester bringt ein Schuldopfer dar und betupft mit dem Rest des Blutes das rechte Ohrläppchen, den Daumen der rechten Hand und die große Zehe des rechten Fußes dessen, der seine Reinsprechung vom Aussatz begehrt. Danach gießt der Priester zur Opferung bestimmtes Öl in seine linke Hand, taucht mit dem rechten Zeigefinger in das Öl, sprengt von dem Öl »siebenmal vor dem Herrn« und betupft mit dem Rest des Öles dieselben Körperstellen des Bittstellers, die er zuvor mit dem Blute berührt hatte. Die Zeichensprache verdeutlicht die Schicksalswende dessen, der eben

noch aussätzig war. Seine Existenz mit allen ihren Relationen war zerstört. Jetzt wird die böse Vergangenheit von ihm abgewaschen und das Tor zu seiner Zukunft wird ihm aufgetan.

Das *Ohr* ist das Organ zum Empfang des göttlichen Freispruchs, etwa am Jom Kippur. Der Aussätzige ist kultisch unrein. Er muß der versammelten Gemeinde fernbleiben. Er kann den Freispruch nicht hören. Er darf den Segen nicht empfangen. Seine Beziehung zu Gott ist zunichte.

Die *Hand* ist das Organ der mitmenschlichen Kommunikation. Mit der Hand begrüßt und herzt der Mensch die Seinen. Er händigt aus, man händigt ihm ein, er handelt im größeren mitmenschlichen Verbund. Der Aussätzige wird aus der mitmenschlichen Gemeinschaft ausgeschlossen, er muß den Seinen fernbleiben. Seine Beziehung von Mensch zu Mensch ist zerbrochen.

Der *Fuß* ist das Organ der Besitzergreifung. Der Bauer schreitet über seinen Acker. Er führt eine Grenzbegehung durch. Er behauptet seinen Besitzstand und nennt ihn sein eigen. Der Aussätzige muß aus seinem Eigentum weichen, er muß Hab und Gut verlassen. Seine Mensch-Dingbeziehung ist zerstört.

Die *Betupfung mit dem Opferblut* reinigt Ohr und Hand und Fuß. Die *Ölbetupfung* eröffnet den *Wiederbeginn des Lebens* in *erneuerter Ganzheit der Existenz mit allen ihren Relationen.*

Schon dürfte einsichtig geworden sein, daß, so gesehen, der dreiteilige Ritus und die drei Szenen der Versuchungsgeschichte Jesu durchaus etwas miteinander zu tun haben.

In umgekehrter Reihenfolge zeigt uns der Evangelist Matthäus:

1. Wenn der Versucher Jesus nahelegt, er solle, um den Hunger zu stillen, aus Steinen Brot machen, dann soll er habgierig gemacht werden. Es geht um die *Mensch-Ding-Beziehung.*

2. Wenn Jesus von der Zinne des Tempels springen soll, um die Gunst der Menge durch ein Schauwunder zu erlangen, daß er ihr Anführer werde, dann soll er ruhmsüchtig gemacht werden. Die *Mensch-Mensch-Beziehung* ist im Blick.

3. Wenn Jesus anempfohlen wird, vor dem Versucher niederknien, um aus seinen Händen das Weltregiment zu empfangen, dann soll er machtlüstern werden. Die *Mensch-Gott-Beziehung* steht auf dem Spiel.

Aber der eigentliche Zusammenhang tritt erst ans Licht, wenn die *gemeinsame Beziehung* der Versuchung Jesu und des Ritus der Aussätzigenheilung zu den *drei Gerichtsflüchen* Gottes in der *Sündenfallerzählung* (Gen. 3) als dem eigentlichen Grundtext erkannt wird, von dem die beiden anderen ihre Gestaltung empfangen.

Wir vollziehen darum eine *kurze Kommemoration von Gen. 3* mit Akzentsetzungen, auf die wir im Verlauf unserer künftigen Erkenntnisbemühungen noch zurückkommen werden.

Statt im Vertrauen und Gehorchen gegenüber dem Schöpfer zu verharren, hat der Mensch sich hinter Gottes Rücken auf eine Mißtrauen weckende und zu Ungehorsam verleitende Diskussion *über* Gott eingelassen und nach einer Habe gegriffen, die ihm zu seinem Heil hätte vorenthalten bleiben sollen. Im Trachten nach Wissenszugewinn hat er dabei die Kenntnis des Bösen, das ihm bisher verborgen war, gewonnen und zugleich das Heimatrecht im Guten, das eben noch seine Bleibe war, verloren. Als Pein erfährt er alsbald die Isolation des Schuldiggewordenseins. Der Gemeinschaft bedürftig, flieht er aus der Isolation in die Partnerschaft zurück, der er eben entronnen zu sein glaubte. Er zieht den Partner von ehedem in die Mittäterschaft, in der Meinung, er könne verlorene Gemeinschaft wieder herstellen. Doch kommt nur eine, wie sich bald zeigen wird, sehr unzuverlässige Komplizenschaft zustande. Und Gott übt *Gericht,* indem er den Menschen strafweise in die Veränderung bannt, die dieser sich schuldhaft erwählte. Gott gibt den Menschen an die Sünde preis. Der befindet sich jetzt im *non posse non peccare.* In neuer Befindlichkeit sind für den Menschen nun alle Relationen verwandelt. Die Schlange wird in Gottes Gegenwart ihres Rederechts beraubt, entmythologisiert, zurückversetzt in die Gattung der Kriechtiere, wohin sie rechtens immer gehört hat. Aber der Mensch in der Gottesferne wird ihr und an ihrem Beispiel der ganzen unheimlichen Gegebenheit Welt, wie sie ohne Gott aussieht, bedrohlich ausgeliefert.

1. *Glaube* hätte das *Mensch-Gott-Verhältnis* kennzeichnen sollen. An seine Stelle treten nun *Kampf und Angst.*

2. *Liebe* hätte das *Mensch-Mensch-Verhältnis* prägen sollen. Jetzt bereiten beide einander gegenseitig *Enttäuschung und Leid.* Sie können nicht mehr miteinander, aber auch nicht mehr ohne einander leben.

3. *Hoffnung* auf den immer wieder reich gedeckten Tisch hätte das *Verhältnis des Menschen zu den Dingen* heißen dürfen. Der Garten, darin Feiern und Wirken eins war, ist unzugänglich geworden. Nun schuftet der Einödbauer im Schweiße seines Angesichts auf dem dornigen Acker und bringt nach des Tages Last kärgliche Ernte heim. Sein Alltag heißt *Arbeit,* sein Schicksal heißt *Sorge.*

Der zum Sohn Davids, zum Messias berufene *Jesus* soll dem gefallenen *Adam* gleichgemacht werden. Dann wäre er wie alle, und es gäbe einen mehr, der der Hilfe bedürftig wäre, ohne in der Lage zu sein, sie sich selbst, geschweige denn anderen, zu beschaffen. Das ist die Absicht des Versuchers. Doch scheitert er damit. Jesus schlägt den Feind aus dem Felde. Jesus bleibt der Sieger. Als der,

der Adams Los kennt, in Adams Situation stand, ohne dem Versucher anheimzufallen, kann er sich nun Adams und das meint aller Menschen, hilfreich annehmen. Um das anzuzeigen, berichtet Matthäus in seinem Evangelium als erste Tat Jesu eine Aussätzigenheilung. Das Wunder hat *exemplarischen* Charakter. Der Aussätzige ist *adamitisches Modell*. Er befindet sich abbildhaft in der durch die Gerichtsflüche Gottes gekennzeichneten Adams-Situation. Jesus Christus ist gekommen, um die Menschen aus dieser Situation zu erretten. Geschieht also die Aussätzigenheilung, dann ist die *Stunde des Messias* da. Das ist's, was Johannes der Täufer in der Stunde des Zweifels im Gefängnis hören darf. Der es ihm sagen läßt, ist der ἐρχόμενος selbst (Matth. 11).

Daß die Stunde des Messias da ist, sollen auch die Priester erfahren, die des Gesetzes Hüter sind. Sie waren es, die in Ausübung ihres Berufes dem Aussätzigen hatten sagen müssen, daß er krank sei. Dabei hatten sie das Gesetzbuch vor Augen gehabt, in dem die Bestimmungen darüber enthalten sind, wie einer beschaffen sein muß, wenn er heil, gesund, richtig genannt werden will. Den Aussätzigen mit diesen Bestimmungen vergleichend, hatten sie ihn als unrein befunden und ihn, wie es das Gesetz befiehlt, nach draußen gewiesen, »ausgesetzt« (Lev. 13, 45, 46). Nun sollen sie demselben Menschen, den Jesus ihnen zu einem Zeugnis zuschickt, bestätigen müssen, daß er heil sei. Das Zeugnis wird heißen: Wer mit dem Evangelium vor das Gesetz tritt, erfährt dort nicht mehr seine Verdammung, sondern seinen Freispruch.

Eben dies ist es, was auch Botticelli mit seinem Bilde sagen will. Man muß es nur richtig »lesen«. Wer die Szenenfolge der Versuchungen Jesu am oberen Bildrand von links nach rechts wie eine Buchzeile liest, wird bald merken, daß gleich darunter eine zweite Zeile beginnt. Der Maler hat eine vierte Szene in sein Bild eingebracht. Darin weist Jesus die ihn umgebenden Engel und mit ihnen uns, die Betrachter, mit deutlicher Zeigegebärde auf die Bildmitte, auf den Opferritus hin. Steinmann geht fehl mit der etwas rührseligen Annahme, Botticelli habe hier eine den Versuchungen vorangehende Abschiedsszene erfunden. Hier ist vom Maler offensichtlich auch formal eine Verbindung zwischen den beiden voneinander zu unterscheidenden Themenstellungen seines Auftrags geschaffen, ein Brückenschlag, der zugleich voll inhaltlicher Aussagekraft ist. Vielleicht muß man gar – Botticelli verstand sich doch auf Engel – an 1. Petrus 1,12 denken, wo gesagt wird, daß es die Engel gelüstet, den Kairos der den Menschen zugedachten Soteria zu schauen.

Der Lasterkatalog in seinem Kontext

(Auslegungstradition)

Der Umweg war gewinnbringend. Was er uns eintrug, wäre auf andere Weise kaum zu erlangen gewesen. Wir sind auf Goldadern der Erkenntnis gestoßen, die lange verschüttet waren. Ihnen folgend, wurde uns der Einblick in einen großen Reichtum biblischer Zusammenhänge eröffnet.

Wir meinen nun, daß das dreifache παρέδωκεν ebenfalls in den Rahmen des Beziehungszusammenhanges gehöre und von ihm hier neues Licht empfange – genauer: Wir vermuten, daß das dreifache παρέδωκεν in ähnlicher Weise akzentuiert sei, wie die Dreiheiten, mit denen wir eben befaßt waren. Da aber diese drei παρέδωκεν festeingebunden sind in ein Begründungsgefüge, könnte unsere Vermutung nur dadurch zur Gewißheit gebracht werden, wenn es gelänge, dieses Gesamtgefüge nicht nur aus Gen. 3, sondern aus Gen. 1–3 so zu interpretieren, daß das dreifache παρέδωκεν schlüssig daraus hervorginge. Dem steht aber in geschlossener Formation die gesamte *Auslegungstradition* entgegen. Wohl traute sich bisher hie und da einmal einer, eine leise Frage vorzubringen, die in diese Richtung lief. Er erfuhr von anderen sofort Widerspruch. Zugestanden wird, Paulus habe in Einzelheiten Formulierungshilfen aus dem Anfangskapitel der Genesis bezogen (Käsemann, 41). Aufs Ganze gesehen wird für die Ausgestaltung des Textabschnittes Denkanstößen anderer Provenienz mehr Gewicht beigemessen, so insbesondere der Sapientia Salomonis 13–15, die ja in der Tat nicht nur deutlich erkennbar den Vokabelbestand beeinflußt, sondern auch den kontroverstheologischen Akzent verschärft hat, der bis in die Folgekapitel weiterwirkt und seine Zuspitzung in dem zweimaligen ἀναπολόγητος (1,20; 2,1) erfährt.

Der eigentliche Grund dafür, daß in der bisherigen Auslegungsgeschichte die Annahme, daß Paulus für den Abschnitt 1,18–32 aus der Heiligen Schrift argumentiere, kaum aufkam – und demzufolge auch keine Veranlassung vorlag, in der Schrift zu suchen, »ob es sich also verhielte –, war die *communis opinio*, der Apostel habe im Unterschied zu den im nächstfolgenden Kapitel direkt angeredeten Juden hier ausschließlich Heiden im Blick[6].

Und über Heiden, so wurde stillschweigend gefolgert, dürfe auch Paulus nur im Rahmen dessen urteilen, was diese über sich selbst wissen können.

---

[6] Zusammenfassend sagt G. Bornkamm: »Paulus hat im ersten Kapitel ohne Frage die Heiden im Blick« (Das Ende des Gesetzes, S. 26).

Wie entsteht der Lasterkatalog?

Selbst Adolf Schlatter, der sonst den alttestamentlichen Wurzeln neutestamentlicher Aussagen mit viel Eifer nachgeht, will für unseren Abschnitt einen Rückgriff des Paulus auf den Anfang der Genesis nicht anerkennen (61). Immerhin ist er es, der wenigstens ernsthaft in Erwägung zieht, ob Paulus »an Adam und Eva oder an ein in der Urzeit lebendes Geschlecht, das durch seine Mißachtung Gottes die Menschheit in die Gottlosigkeit hineingezogen«, gedacht habe. Mit Nachdruck verneint er dann jedoch diese Frage. Er folgert, Paulus hätte, falls er hier an die Erzählung vom Sündenfall hätte erinnern wollen, »vermutlich den am Fall der Menschheit Schuldigen genannt«. Daß er es nicht tut, mache offensichtlich, daß ihm in diesem Zusammenhange nichts daran gelegen sei. Und zwar darum nicht, weil Paulus nicht irgendeine Vergangenheit, sondern seine eigene Gegenwart, sie freilich in exemplarischer Weise, vor Augen gehabt habe. Zur Begründung dieser These stellt Schlatter erkenntnistheoretische Erwägungen an, wie Paulus zu seinen Aussagen gekommen sei. Nach seiner Auffassung gewinnt Paulus sein Urteil einzig durch die »Wahrnehmung«. Paulus »schaut« seine Zeitgenossen als die »jetzt Lebenden« und spricht über sie – zugleich über sie hinausgreifend – als über »Glieder der Menschheit« insgemein. Er beschreibt »den jetzt vorhandenen Zustand«, wie er ihn wahrnimmt. Er will ihn nicht »erklären« durch etwas, »was einst geschehen ist«. Verhielte er sich, wie Schlatter sagt, dann würde Paulus sein eigenes empirisch gewonnenes Urteil über seine Zeitgenossen in den Rang einer generellen Aussage heben. Dagegen spricht einmal das den ganzen Abschnitt einleitende ἀποκαλύπτεται. Paulus fällt kein eigenes Urteil, seine Rede macht Offenbarung kund, er spricht Gottes Urteil aus. Zum andern verbietet der Tadel, den der Apostel gegen solche erhebt, die sich zu Richtern über andere aufwerfen (2,1 ff) die Annahme, sich selbst habe Paulus solch ein Richteramt bedenkenlos zuerkannt. Paulus maßt sich nicht an, Richter zu sein. Er ist in dieser Sache nichts anderes als ein Zeuge.

Das Habakukzitat als Credosatz

Anstelle der erkenntnistheoretischen These Schlatters sind wir nun eine Auskunft darüber schuldig, wie Paulus zu seinem Zeugnis gelangt ist und was ihn als Zeugen legitimiert. Dafür ist das Habakuk-Zitat in Vers 1,17 wegweisend. Wir finden es gleichsam umrahmt von der Doppelbestätigung durch die beiden ἀποκαλύπτεται vor. Beidemal ist das γάρ von Gewicht. Das erste γάρ sagt: denn eben jetzt, im Evangelium von Christus, ist die Macht Gottes zur Rettung jedes Glaubenden wirksam geworden, die δικαιοσύνη ist offen am Tage. Das zweite γάρ sagt: denn eben jetzt ist der latent schon längst vorhandene, bis jetzt zurückgehaltene Gerichtszorn Gottes vom Himmel her offen am Tage.

Diese Umrahmung des Zitats durch das zweifache γάρ zeigt an, daß Paulus es nicht als zusammenhanglose Sentenz verwendet, sondern aus dem Kontext der ganzen Prophetenschrift interpretiert. Der Prophet hat es ja mit nichts anderem als mit eben diesem Doppelthema von Gericht und Rettung zu tun. Wir müssen also näher darauf eingehen: Der Prophet hat gefleht, Gott möge einschreiten gegen das Überhandnehmen von Gottlosigkeit und Ungerechtigkeit in Israel. Gott hat ihm geantwortet, er wolle ein grausames Heidenvolk zur Gerichtsvollstreckung erwecken. Der Prophet ist entsetzt. Er möchte das »Gesicht« vorerst geheimhalten, es womöglich gar abwenden oder zumindest mildern. Strafe möge sein, aber sie soll doch nicht gleich zur Vernichtung führen. Habakuk muß das Gericht dann doch als unabwendbar verkündigen. Aber ein schmaler Spalt öffnet sich, Licht schimmert durch. Ein Blick auf Hoffnung wird frei, Rettung ist möglich. Es gibt Gnade mitten im Gericht. Die Zusage Gottes lautet: ὁ δε δίκαιος ἐκ πίστεως ζήσεται. Der Prophet wird nun zum Exemplar dieses δίκαιος, indem er mit zitternden Lippen und bebenden Knien (Hab. 3,16) das Gericht auf sich zukommen sieht, sich an die Zusage klammernd, die Barmherzigkeit im Zorngericht (3,2) erbittet und zugleich getrost, ja sogar fröhlich die Errettung erwartet (3, 18, 19). Auch Paulus wird zum Exemplar dieses δίκαιος. Er eignet sich das Zitat an, macht sich seine Aussage zu eigen. Sie bringt seinen eigenen Glauben zum Ausdruck. Dabei versinkt die auch für den Historiker schwer zu verifizierende Geschichtsstunde[7], die Habakuk im Sinne haben mochte, völlig. Sie wird durch eine andere ersetzt, durch diejenige, in der ihn, Paulus, das Evangelium von Christus trifft und ihn mit dem Tode und der Auferstehung Jesu Christi gleichzeitig macht als Gerichts- und Rettungsoffenbarung in einem. Das *eben jetzt*, auf das er mit dem zweifachen γάρ anspielt, ist für ihn existentielles Ereignis geworden, zu dem sich das von Habakuk Gesagte verhält wie eine Verheißung zu ihrer Erfüllung. Von daher verwandelt sich das Zitat in seinem Munde in eine Art Credosatz. Im δίκαιος als Person enthalten, sind ihm die von Masora und LXX überlieferten unterschiedlichen Personalsuffixe entbehrlich geworden. Schon in seiner Auseinandersetzung mit den Galatern (Gal. 3,11) verwendet Paulus das Habakuk-Zitat in derselben Fassung; schon hier erläutert er im Beispiel Abrahams, daß er das ἐκ πίστεως zum δίκαιος zugehörig versteht.

---

[7] Vgl. K. Elliger, Das Buch der zwölf kleinen Propheten, ATD 25, S. 21 f.

Das Zitat, in dem sich sein eigenes Credo birgt, gewinnt also die Gestalt ὁ δε δίκαιος ἐκ πίστεως – ζήσεται.

Die Damaskusstunde und das Neuverständnis der Schrift

Wie sehr die Damaskusstunde (Acta 9,1 ff u. par.) die persönliche Einbeziehung des Paulus in das rettende Gericht des Evangeliums war, hat Paulus in Gal. 1 bezeugt. Im gleichen Atemzug aber sagt er, daß die Stunde seiner Bekehrung auch die Berufung zu seinem *Apostelamt* war. Der Christ Paulus wird Zeuge, zum Zeugnis berufen und verpflichtet. So gehört nun der Zeuge in der Weise mit in das Zeugnis hinein, daß das die existenzielle Entscheidungsstunde charakterisierende Beieinander von Rettung und Gericht – es fiel ihm wie Schuppen von den Augen (Acta 9,18) – auch sein Zeugnis für die anderen charakterisieren wird. Der Christ Paulus gelangt, sein neues Sein mit dem vergleichend, was er bisher für den Heilsweg gehalten hatte, zu einem neuen Verständnis der ganzen Heiligen Schrift. Sein Scheitern am Nomos als Heilsweg nötigt Paulus, hinter Moses bis auf Abraham zurückzugehen. Und ihn als den aus der Heidenschaft Erwählten und mit dem Verheißungsnamen »Vater vieler Völker« Beschenkten erkennend, sieht er in ihm den Prototyp der zum Heil berufenen universalen Menschheit, an dessen Beispiel sich die Gerechtigkeit Gottes als Glaubensgerechtigkeit verstehen und verständlich machen läßt. Erwählung und Nomos-Besitz verlieren den Charakter des Vorzugs. Israels Sonderrolle läßt sich nun in der Pädagogik Gottes als ein Nach-Vorne-Gezogen-Werden begreifen, das Gott vollzieht, wie wohl einmal ein Lehrer einen einzelnen Schüler vor die gesamte Klasse stellt, um mit ihm demonstrativ kundzutun, was allen gelten soll. Darum muß Paulus nun auch hinter Abraham noch zurückgehen bis auf Adam, denn so erst hat er, in unserem Bilde zu bleiben, die ganze Klasse vor Augen, in der Israels Rolle in ihrer Bedeutsamkeit für alle sich abspielt. Israel steht im Rampenlicht der Geschichte, damit Gott an ihm sein Gericht und sein Heil in universeller Geltung demonstriere.

Enthüllter Nomos und Zornesapokalypse, Solidarität

Der *Nomos* wird dabei weder unwichtig noch unwirksam. Aber er erscheint nun in einem neuen Licht. Das zwischenzeitlich mögliche *heilspartikularistische Miß-verständnis,* der Nomos sichere denen, die ihn besitzen, im Sinn eines Numerus clausus, von dem alle übrigen ausgeschlossen seien, das Heil zu, ist dahin. Dieses Mißverständnis war nur möglich geworden, weil die zum Empfang und zur Bewahrung des Nomos Berufenen durch die sie schonende Hand Gottes davor geschützt wurden, das grelle Licht, das verzehrende Feuer zu schauen, das auch sie vernichtet haben würde. Der vom Gesetzesberg herabkommende Moses hatte, das Gesetz verkörpernd, sein Angesicht bedecken dürfen, damit der Abglanz, der ihm in der Gottesgegenwart eingeprägten δόξα seine tötende Wirkung nicht vollziehe (Ex. 34, 33–35). Wird das Kalymma vom Nomos fortgenommen, dann deckt er schonungslos das universale Unheil auf. Das ereignet sich vor den Augen dessen, den das Evangelium mit rettendem Zugriff ergreift. In eben dem Augenblick erkennt er die Tiefe des Abgrunds, in den er hätte stürzen müssen, wäre er ihm nicht gerade entrissen worden. Das Abfallen der Schuppen von den Augen (Acta 9,18) und die Entfernung des Kalymma vom Nomos sind ein und derselbe Vorgang, einmal in individueller, das andere Mal in universaler Bedeutung. *Das Evangelium ist universal verkündbar* geworden. Paulus braucht sich seiner nirgendwo zu schämen. Wann aber und wo immer es verkündigt wird, geschieht auch die *Apokalypse des Gotteszornes*, eben darum, weil die »rettende Stund« geschlagen hat. Von hier aus schreibt Paulus den ganzen Römerbrief. Und darin kommt dem Abschnitt 1,17 ff eine besondere Bedeutung zu. Für die Wahrnehmung seines Auftrags wird Paulus den eigenen Weg seinem Einst in sein Jetzt nicht vergessen dürfen und wollen. Das befähigt und verpflichtet ihn zur Solidarität mit allem, was Menschenantlitz trägt. Darum produziert Paulus keine Enthüllungsliteratur. Er ist nicht der Skandalchronist, der mit dem Ausdruck moralischer Entrüstung (Godet 123) zu Protokoll gäbe, was er auf seinen Reisen über das Leben der Menschen an Schändlichkeiten hat in Erfahrung bringen können. Er schildert eben nicht das »Nachtbild« antiker Großstädte (Kroeker, 59), die schon damals in ihrem Wesen dem ganz gleich gewesen wären, was man heute von Großstädten weiß. Paulus redet nicht unvermittelt *aus* der Situation der lasterhaften »Heiden«.

Er redet aber auch nicht unmittelbar *in* die Situation von »Heiden«. Er bietet hier nicht »ein Beispiel der Missionspredigt . . ., wie er sie häufig genug vor Heiden gehalten hat« (Michel 51). Seine Adressaten sind die Christen in Rom, »welche der Propädeutik und der missionarischen Anknüpfung nicht mehr bedürfen« (Käsemann, 32). Paulus muß ihnen auch nicht an einem Beispiel zeigen, wie er missioniert. Er wird es, nach dem, was wir inzwischen von ihm selber über das Verhältnis von Gnade und Gericht erfahren haben, mit Sicherheit ganz anders gemacht haben.

Warum schrieb Paulus nach Rom?

Wohl ist er der Missionar, wenn er diesen Brief schreibt. Ja, er schreibt ihn von Anfang bis Ende im Dienste der Mission. Recht und Pflicht zur Weitergabe der Heilsbotschaft auch an Nichtjuden waren mit Eifer zweifelhaft gemacht worden. Paulus muß annehmen, daß diese ihm unentwegt auf den Fersen folgende Agitation, die seinen und nicht nur seinen Verkündigungsauftrag bestritt, auch nach Rom gedrungen ist. Sie müßte die Heilsgewißheit der Heidenchristen verunsichern und den Judenchristen die Gnadenbotschaft verdunkeln. Sie würde mit Sicherheit die Gemeinde zerreißen.

Dagegen muß Paulus angehen. Darum verteidigt er die Mission, indem er sie theologisch begründet. Darüber hinaus will er die römische Gemeinde, noch ehe er ihr den seit langem beabsichtigten Besuch (1, 13) machen kann, nicht nur um ihr Verständnis, sondern auch um ihren aktiven Beistand bitten, den er dringend benötigen wird, wenn er demnächst von Rom aus auch nach Spanien reisen will (15, 24), an das Ende der damals bekannten Welt (Acta 1, 8), um dort auch das Evangelium zu verkündigen.

Begründung der Mission aus der Schrift

Auf welche Weise aber soll Paulus dieses zugleich seelsorgerliche und missionarische Anliegen betreiben? Es gibt nur einen Weg dafür, den der Auslegung der Heiligen Schrift. Das hat sich doch auch auf dem sogenannten Apostelkonzil (Acta 15, 1 ff) gezeigt. Wie immer es um die Historizität des lukanischen Berichtes bestellt sein mag, darin hat sich echte Erinnerung bewahrt, daß weder der Missionserfolg, von dem Paulus und Barnabas Mitteilung machen, noch der Erlebnisbericht von seiner Begegnung mit Cornelius, den Petrus zu ihrer Unterstützung beisteuert, um ihm die Geltung eines beweiskräftigen Präzedenzfalles zu geben, der Mission unter den Völkern zur Anerkennung verholfen haben. Im Bewußtsein der Urgemeinde ist die Gewißheit, Mission müsse sein, erst durch das Wort der Schrift erweckt und befestigt worden. Amos 9, 11–12, so verstanden, gewährt diese Einsicht und steht in Übereinstimmung mit dem, was die Missionsboten erzählen. Gott selbst ist es, der Mission will. Er wird nicht allein die zerfallene Hütte Davids wieder aufrichten – auch alle übrigen Menschen, alle Völker sollen sein Heil erfahren – um seines Namens willen. Und das nicht, weil Gott eine früher einmal andere Planung inzwischen geändert hat. Das war vielmehr und das bleibt seine uranfängliche Absicht, γνωστὰ ἀπ'αἰῶνος (Acta 15,18).

In dieser Linie argumentiert auch Paulus. Das Habakuk-Zitat freilich hat ihm nur zum Ausspruch des punktuellen Credos, zur Aussage der erfahrenen Gleichzeitigkeit von Gnade und Gericht verholfen. Er kann es darum zum Thema seines Briefes machen, denn er weiß, jedweder ist zum Mitbekennen dieses Credos berufen. Daß aber diese Aussage solch universale Geltung habe, läßt sich allerdings aus Habakuk allein nicht erweisen. Der Prophet verharrt in den Grenzen seiner heilspartikularistischen Sicht (Hab. 3,12,16). Paulus muß also hinter ihn zurück. Und so gelangt er, die exegetische Nacharbeit des Datums Damaskus hat ihn ja dafür zugerüstet und ihm diesen Weg gewiesen, zu Gen. 1–3.

Gen. 1–3 und Röm. 1, 18–32

Ein *vokabelstatistischer Vergleich* zwischen Gen. 1–3 und Röm. 1, 18–32 wäre durchaus nicht unergiebig, aber er führte nicht eindrücklich genug zum Ziele. Paulus spricht die Sprache seiner Zeit, auch wenn er Aussagen macht, die früher schon einmal gemacht worden sind und im Sprachgewand einmal anders ausgesehen haben. Aber er versteht sich auf zusammenfassende Skopusformulierungen und auf die geraffte Wiedergabe ganzer Zusammenhänge. So lohnt sich ein Inhaltsvergleich. Hier wie dort geht es um den Schöpfer und seine Schöpfung, um die Kreaturen im dreigestuften Kosmos, die Tiere zu Wasser, zu Lande und in der Luft. Mit betontem Vorrang aber geht es um das Geschöpf, das der Schöpfer zu sich selbst in das Verhältnis der Ebenbildlichkeit versetzt hat. Solche Rangstellung ist Ehrung und Auftrag zugleich. Der Mensch darf Gott reinen Herzens schauen und soll Gott reinen Herzens »zeigen«, Gott repräsentieren, das Bild Gottes ausstrahlen. Dadurch hat er Anteil an Gottes guter Herrschaft. Die Mitkreaturen haben ihren Platz unter des Menschen behütenden Händen. Es besteht eine Hierarchie des Friedens.

Aber nun hat der Mensch schuldhaft alles verdreht. Darum bannt ihn Gott kraft richterlicher Autorität strafweise in seine selbsterwählten Verdrehungen. Das etwa sagen der alttestamentliche und der neutestamentliche Text gemeinsam. Soviel Gemeinsamkeit weist aus, daß sie miteinander verwandt sind. Diese Verwandtschaft kommt dadurch zustande, daß Paulus in seiner Geschichtsstunde nachspricht, was er in den Genesiskapiteln gelesen hat. So fanden wir seinen *Text.* Aber er zitiert nicht einfach, macht auch nicht nur eine Vokabelübertragung. Er wiederholt nicht nur, sondern er verändert seine Vorlage. So müsesn wir nun nach der *Methode* fragen, um darin die ihn bewegende Absicht zu erkennen.

Wir nehmen wahr, daß er seine Vorlage einerseits in *generalisierender* Absicht in den Plural und zum andern in *aktualisierender* Absicht in das Präsens transponiert. Das macht er jedoch nicht schematisch. Die Zeitformen der Verben gehen merkwürdig durcheinander. Verbformen der Vergangenheit wechseln mit solchen der Gegenwart in einer Weise ab, die zunächst als Willkür anmutet. Dahinter steckt, daß Paulus im Vollzuge seiner Umsetzung immer gleichsam ein Standbein in der alten Erzählung hat, um mit dem anderen Bein seine und unsere Gegenwart zu erreichen. So erklärt sich das Beieinander der Aoriste und der präsentischen Redeformen.

Die Schlattersche Alternative, Paulus könne nur entweder vom Urelternpaar oder von der gegenwärtigen Menschheit reden, fällt dahin, denn Paulus selber vermeidet weislich – eben durch diesen Wechsel der Verbformen – den Eindruck, als erleide die Menschheit lediglich das Folgeschicksal einer bösen Urtat. Schlatters Besorgnis, solch ein Mißverständnis sei hier möglich, ist also von Paulus vorab schon mitbedacht. Er beschreibt die Menschen insgemein als solche, die gegenwärtig sündigen – in Adam. Und das tut er so ausdrücklich, daß Schlatter nun auch darin noch widersprochen werden muß, wenn er behauptet, Paulus verschweige Adams Namen. 1,18 sagt der Apostel an, er wolle von dem offenkundig gewordenen Gotteszorn über die Gottlosigkeit und Ungerechtigkeit *der Menschen* reden. Adam ist (ind. und coll.) die hebräische Bezeichnung für Mensch. *B'ne Adam* schreibt Fr. Delitzsch in seiner Übersetzung des Neuen Testamentes ins Hebräische. Adams Name kommt vor. Noch weit mehr an Rückerinnerung an Gen. 3 kommt vor:

– Der Plural διαλογισμοῖς (V. 21) erinnert an Evas Gespräch mit der Schlange (Gen. 3, 1–5). Freilich verlegt Paulus diesen διαλογισμός ins Innere der Menschen oder in ihre Gegenseitigkeit. Er hat ja auch keinen Anlaß, die in die Summe der Kreaturen zurückversetzte Schlange zu remythologisieren (obwohl er, wenn die Seelsorgesituation es gebietet, durchaus auch von der Schlange als der versucherischen Fremdmacht sprechen kann [2. Kor. 11,3]).

– φάσκοντες εἶναι σοφοί (V. 22) erinnert an Evas Wunsch, klug zu werden (Gen. 3,6).

– ἐν ταῖς ἐπιθυμίαις τῶν καρδιῶν erinnert daran, daß der verbotene Baum in Evas Augen begehrenswert erscheint, es sie gelüstet, zuzugreifen und es dann auch tut (Gen. 3,6).

– ἀτιμάζεσθαι τὰ σώματα (V. 24) erinnert daran, daß die erste Neuentdeckung Adams und Evas nach dem Fall die war, daß sie nackt waren und daß sie diese Nacktheit als Schande empfanden. Sie sehen sich genötigt, sich voreinander zu verhüllen und sich gemeinsam vor Gott zu verstecken (Gen. 3,7).

34

– Schließlich steckt noch V. 32 voller Reminiszenz an Gen. 3: Das Tun des Bösen trotz der Kenntnis der von Gott ergangenen Androhung des Todes und das engagierte Interesse an der Mittäterschaft des anderen wird hier wie dort ausgesagt (Gen. 2,17; 3,6).

Wir lassen es mit dieser Aufzählung genug sein, obwohl sie sich verlängern ließe. Diese Fülle von Anspielungen, die nicht in bruchstückhafter Zerstreuung vorkommen, sondern sich in einem Aussageverbund befinden, beweisen, daß der Apostel bei der Abfassung dieses Abschnittes intensiv mit den Urgeschichten befaßt war und sie in ihrer Ganzheit kommemoriert hat. Sie bestimmen den Gedankengang, mag auch das Vokabelmosaik noch Bestandteile aus anderen Steinbrüchen enthalten. Damit aber stehen wir dann mit unserer Mutmaßung, die drei παρέδωκεν seien aus den Gerichtsflüchen der Sündenfallerzählung gefolgert, auf festen Füßen.

Das dreifache παρέδωκεν

Was bringt uns die nunmehr gewonnene Einsicht, Paulus habe den Anfang der Genesis im Sinn, für das Verständnis der παρέδωκεν-Dreiheit ein? Ein *Auslegungsnotstand* wird behoben, dem bisher nicht beizukommen war. Solange der Rückbezug des Apostels auf die ersten Genesis-Kapitel verkannt wird, solange insbesondere die Gerichtssprüche von Gen. 3 bei der Interpretation der παρέδωκεν-Sätze nicht in Ansatz gebracht werden, bleiben die Konturen unscharf. Die Abschnittsgrenzen verwischen, die Einzelsätze werden ununterscheidbar. Die Aussagen bleiben unbestimmt. So kann Lietzmann (32 f) zwar die parallelen Satzanfänge διὸ παρέδωκεν V. 24.26.28: »stilistisch bemerkenswert« finden, vermag aber keine ihnen »entsprechende Steigerung oder Weiterführung des Gedankens« zu entdecken. Auch für Käsemann ist »ein gedanklicher Fortschritt« (40) nicht ersichtlich. Und Michel gibt lediglich die Auskunft, es handele sich »sicherlich um drei verschiedene Beschreibungen des gleichen Tatbestandes« (58).

Käsemann will eine »rhetorische Steigerung« bemerken, sie gar als für Paulus typisch ausgeben und darin begründet sehen, »daß die Schuld immer kürzer, der Verfall immer ausführlicher, zuletzt sogar mit dem Lasterkatalog« dargestellt würden. Für diese Unterscheidung von Schuld und Verfall bietet der Text jedoch keinerlei Anhalt. Käsemann ist wohl nur darum darauf gekommen, weil er entgegen der üblichen Einteilung den Abschnitt mit V. 22 beginnen läßt und die Unterabschnitte 22–24, 25–27, 28–31 bildet. Dadurch entsteht die Vorstellung, der Apostel drehe sich im Kreise. Folgerichtig kommt dann Käsemann auch dazu, von drei konzentrischen Kreisen zu sprechen. Ein offenkundiger Nachteil dieser Sicht wäre der, daß der von Lietzmann als »stilistisch bemerkenswert« hervorgehobene Satzbau dabei verundeutlicht würde: Das 1. παρέδωκεν geriete an das Ende, das 2. in die Mitte und das 3. an den Anfang der ihnen jeweils zugedachten Aussage – unter Verlust der von Paulus beabsichtigten Koordination. Denn die Parallelität der drei Einsätze ist nicht nur stilistisch bemerkenswert, sondern für den Inhalt von entscheidendem Gewicht. Es ist so zu gliedern, daß innerhalb des Abschnittes 1,18–31 die Verse 21–23 – die Vorwürfe ἀσέβεια und ἀδικία von V. 18 explizierend und das ἀναπολόγητος von V. 20 bestätigend – von Schuld als Voraussetzung der Strafe reden, die dann V. 24–31 als Folge dieser Schuld in den drei παρέδωκεν zum Ausspruch kommt. Die παρέδωκεν-Dreiheit bildet dabei nicht nur eine Kette, bei der ein Glied am anderen hängt, sondern bei aller Zusammengehörigkeit, die diese Glieder untereinander haben, greift jedes von ihnen auch noch für sich selbst auf den V. 23 zurück, um auf solche Weise die ihm jeweils eigene Akzentuierung zu gewinnen. Hat der »Fall« in *Tateinheit* mit der Verkehrung des Gottesverhältnisses zugleich das Verhältnis des Menschen zum Mitmenschen und auch sein Verhältnis zu den Dingen verändert, so wollen die drei παρέδωκεν den Menschen strafweise in die »Erleideeinheit« der Verkehrung dieser drei Grundverhältnisse verbannen. Das erschließt sich, wenn dem von uns nachgewiesenen Umstand, daß Paulus die Anfangskapitel der Genesis kommemoriert hat, speziell für die Interpretation der παρέδωκεν-Sätze Beachtung geschenkt wird. Was sich dann begibt, ist dem Vorgang vergleichbar, der bei mikroskopischen Untersuchungen durch den Präparaten beigegebene Farblösungen zuvor nicht erkennbare Strukturen deutlich hervortreten läßt. Eben das ereignet sich, wenn wir die παρέδωκεν-Sätze von den Gerichtssprüchen her lesen. Auch hier verändert sich nicht die Substanz, sondern es wird besser sichtbar, was vorhanden ist. Alles gewinnt Farbe und Kontur. Die Einzelsätze heben sich unterscheidbar von einander ab, um sich dann mit der ihnen je eigenen Aussage wieder zum Ganzen zusammenzufügen. Dabei zeigt sich dann auch, daß Versuche, die beiden ersten Absätze enger zusammen zu schmieden, um sie vom dritten Satz stärker abzuheben, keine Bestätigung erfahren.

Das ganze wirkt dann wie ein dichtes Geflecht. Wir erinnerten uns schon einmal daran, daß der Apostel Weber war, der sich auf das Verbinden von in verschiedenen Richtungen verlaufenden Fäden verstand. Wir denken erneut daran. Paulus wußte seine Webkunst auch wohl anzuwenden bei der Bereitung des Sprachgewandes für seine Gedanken. Wir müßten, seinen Fäden folgend, zugleich vorwärts und rückwärts lesen können. Aber unser Sprachvermögen käme dabei an seine Grenze. Wir vermögen nicht zugleich zu sagen, was wir zugleich sehen können. Darum werden wir nun zunächst in der einen Richtung –vorwärts – lesen, um danach dann die zweite Lesung in umgekehrter Richtung zu vollziehen. Wir beginnen mit V. 23, dem Satz, in dem der Schuldausspruch gipfelt, und der damit zugleich als Begründungssatz für die Gerichtsprüche die παρέδωκεν-Dreiheit einleitet. Wir interpretieren diesen Satz, indem wir ihn rekonstruieren.

Rekonstruktion von Röm. 1,23

Als Vorlage hat ihm Ps. 106,20[8] (105,20 LXX) gedient: καὶ ἠλλάξαντο τὴν δόξαν αὐτῶν ἐν ὁμοιώματι μόσχου ἐσθόντος χορτόν. Diesem Satz entnimmt Paulus den Hauptbestand seines eigenen Satzes. Er ersetzt αὐτῶν durch τοῦ θεοῦ. Er ersetzt sodann μόσχου durch den Plural der Tierheiten aus den drei Bereichen des Kosmos. Diesen Plural der Tierheiten aus den drei Bereichen bezieht er aus Gen. 1,20–27, hat dabei aber wohl für die beabsichtigte Argumentation Ex. 20,4,5 im Sinn, wo die gestaffelten Kosmosbereiche, von deren Bewohnern weder Bildnis noch Gleichnis gemacht werden soll, erwähnt sind, verbunden mit dem Doppelverbot: Bete sie nicht an und diene ihnen nicht! Der im Psalm zum grasfressenden Kalbe entmythologisierte Stier ist dem Apostel nicht darum unpassend, weil dessen Bildnis in der Geschichte Is- raels eine Rolle gespielt hat, sondern weil er im Singular dasteht. Gemäß seiner Tendenz, zu generalisieren, braucht er einen Plural, der alle nur erdenklichen Möglichkeiten umfaßt. So wird das Kalb – und stillschweigend auch die Schlange von Gen. 3 – in diesem Plural subsummiert. Die Erwähnung der Schlange an diesem Platz wird uns bei der beabsichtigten Sinnerschließung noch hilfreich sein. Dann wird diese Aufzählung ergänzt durch ἀνθρώπου. Den apotheosierten ἄνθρωπος hat er aus keinem biblischen Text, sondern aus unmittel- barer Anschauung. So kommt Schlatters »Wahrnehmung« doch noch zum Zuge. Unser Veto gegen sie, weil wir sie nicht als die alleinige Erkenntnisweise für die durch Paulus dargelegten Sachverhalte anerkennen wollten, hat ja nicht sagen sollen, Paulus sei mit geschlossenen Augen durch die Lande gereist. Das Bild des in Götterrang gehobenen Menschen erfährt seine besondere Aufmerk- samkeit. Das erkennt man daran, daß er ihm in der Aufzählreihe den ersten Platz gibt. Damit könnte angezeigt sein, daß er für den folgenden Gedanken- gang auf das Götzenbild in Menschengestalt noch besonders Bezug nehmen will.

---

[8] Der Rückgang auf diesen Psalmtext ist alte Exegetentradition. Ich konnte sie bis Bengels »Gnomon« zurückverfolgen.

Das tut er fürs Erste dadurch, daß er ἀνθρώπου das Attribut φθαρτοῦ gibt, in derselben Absicht, die den Psalmisten veranlaßt hat, die im goldnen Standbild verehrte Macht als einen grasfressenden Wiederkäuer zu entlarven. Der Mensch gehört nicht auf den Gottesthron, er ist von Erde gemacht und wird wieder zu Erde werden. Diese Aussage wird noch gesteigert durch den Hinweis auf den unendlichen Abstand zwischen dem wahren Gott und dem, der fälschlich dafür ausgegeben wird. Dieser Hinweis geschieht durch die Einfügung von ἀφθάρτου als Attribut zu θεοῦ. Die letzte Besonderheit des Paulus-Satzes ist, daß er dem im Psalm vorgefundenen ὁμοιώματι noch εἰκόνος anfügt. Paulus war offenbar nicht der Meinung Käsemanns, ὁμοίωμα und εἰκών seien Synonyma, deren jedes für sich das Gemeinte besser ausdrücken könne, als beide zusammen. Er muß eine Nötigung verspürt haben, das singularische εἰκόνος einzufügen, sonst hätte er der schlichten Vorlage des Psalms ja einfach folgen können. Dieser Nötigung also gilt es nachzuspüren, um Licht in das Rätsel zu bringen. Wir wagen es mit der von Käsemann (41) als »verwegene These« verworfenen Vermutung, εἰκών habe hier etwas mit der Gottesebenbildlichkeit des Menschen in Gen. 1,26 zu tun.

Für diesen Begriff werden dort zwei Wörter gebraucht: εἰκών und ὁμοίωσις, deren erstes einen Gegenstand, deren zweites einen Vorgang bezeichnet. Beide haben ein Verhältnis zueinander, das sich dem von Spiegel und Spiegelung vergleichen läßt. Sie werden also durch das sie verbindende καί nicht zu einem Hendiadyoin. Wenn in von dieser Grundstelle abhängigen Stellen nicht ὁμοίωσις, sondern ὁμοίωμα vorkommt, wird ὁμοίωμα als das Ergebnis einer ὁμοίωσις zu denken sein, so daß auch dann der Bedeutungsunterschied bestehen bleibt, der ein Hendiadyoin ausschließt. Die hebräischen Äquivalente in Gen. 1,26 sind nicht durch eine Kopula verbunden. Sie stehen in einem Ergänzungsverhältnis zueinander. Der hebräische Satz heißt wörtlich: »Laßt uns (einen) Menschen in unser Bildnis gestalten wie ein Abbild von uns selbst!« Der Präposition »wie« haftet ein Hauch von Finalität an. Wenn im Neuen Testament zum Ausdruck der in Christus neu gewordenen Situation der Begriff der Gottesebenbildlichkeit im Hintergrund einer Aussage steht, wird diese Finalität stark unterstrichen (vgl. 2. Kor. 4,6 u. a., vielleicht auch Eph. 2,10 mit den Präpositionen ἐν und εἰς). Die LXX ebnet den Unterschied der Präpositionen des hebräischen Textes ein, fängt jedoch die Finalität durch das Wort ὁμοίωσις als Geschehensbegriff auf. Erst εἰκών und ὁμοίωσις sagen aus, was mit Ebenbildlichkeit gemeint ist. In der Sprache unseres Vergleichs: Gott macht den Menschen zu einem Spiegel und prägt ihm sein Bild ein. Der Mensch spiegelt dann das Bild Gottes zurück. Er strahlt den Abglanz des Angesichtes Gottes aus. Der Mensch darf Gott schauen, und er soll Gott zeigen, Gott repräsentieren. Indem er das tut, hat er Anteil an Gottes guter Herrschaft. Er darf regieren Gen. 1,26. Die Gottesebenbildlichkeit ist ein Adelstitel. Durch die Verleihung dieses Titels wird er der übrigen Kreatur übergeordnet. κατακυριεύειν ist sein Amt in der Hierarchie der Schöpfung. In Vollzug seines Amtes lebt und bleibt die Schöpfung in Frieden. Kehrt der Mensch nun aber Gott den Rücken zu, als ob er nicht da wäre, um sich einem anderen Wesen zuzuwenden, der Schlange oder irgendeiner anderen Kreatur, so nimmt er deren Bild in sich auf, wird die εἰκών dieser anderen Macht, die er nun im Vollzuge seiner ὁμοίωσις repräsentiert. Die paradiesische Hierarchie kommt in Unordnung. Der Begriff Ebenbildlichkeit bezeichnet also keine Eigenschaft, sondern ein Verhältnis, ein vertauschbares, ein folgenreich auswechselbares Verhältnis. Hätte Paulus nun bei der Umsetzung von Gen. 3 in den Plural nur sagen wollen, der Mensch tausche Gottes Doxa gegen Tierstandbilder aus, dann hätte er auf die Einfügung von εἰκόνος verzichten können. Dann wäre auch der von Käsemann aufgestellte Skopussatz: »Nur Perversion setzt Götzenbilder an die Stelle der göttlichen Herrlichkeit« (41) die zutreffende Wiedergabe des von Paulus Gemeinten. Paulus will aber etwas ganz anderes sagen. Betrachten wir den von Paulus beschriebenen Vorgang als eine Art Wertaustausch. Dann wird das Verbum zu einem Gleichheitszeichen. Was rechts und links davon steht, muß sich in irgendeiner Weise entsprechen. So stehen einander δόξα und ὁμοίωμα gegenüber. Beide Begriffe sind also auf ihre Bedeutung im Satze zu befragen. Der schon zitierte Psalm sagt, sie tauschten τὴν δόξαν αὐτῶν aus. Das wird erläutert aus Jer. 2,11. Der Prophet sagt in der Gattung einer Gottesklage: »Gibt es denn irgendwo Völker, die ihre Götter vertauschen, die doch gar keine Götter sind?« Wir erwarten nun, der Prophet würde den Folgesatz, der besagen soll, daß das Volk Israel eben das getan hat, in der direkten Redeform mit dem Personalpronomen ausdrücken. Der Satz lautet aber: »Mein Volk hat τὴν δόξαν αὐτοῦ gegen etwas eingetauscht, das nichts wert ist.« Es sieht so aus, als vertrete δόξα den Gottesnamen. Das würde besagen, Gott bezeichne sich als seines Volkes δόξα. Müßten wir den Satz so auffassen, dann würde er sagen, Israel verschenkt Gott. Das kann er nicht sagen wollen, weil Gott selbst nicht verfügbar ist, somit ist δόξα als die Gabe zu denken, die Gott seinem Volke gegeben hat. Dazu paßt dann auch sinngemäß besser das neutrische Ersatzgut »etwas, das nichts wert ist«. In derselben Bedeutung ist δόξα auch im Psalm gemeint und auch in Röm. 1,23. Nicht die δόξα, die Gott hat, sondern die δόξα, die Gott ihm gegeben hat, kann der Mensch fortgeben. Er könnte das nur tun wollen um einer anderen vermeintlich besseren δόξα willen. Wo könnte er zu einer anderen δόξα gelangen? Vermeintlich bei den anderen Göttern, die in ihren Skulpturen repräsentiert sind. Die den Menschen gegebene δόξα besteht darin, daß er die εἰκών Gottes sein darf, um durch die ὁμοίωσις der εἰκών die Gegenwart Gottes zu repräsentieren. Die Umsetzung in den Plural, um die Situation von Gen. 3 in die Gegenwart zu übertragen, verlangt also von Paulus einen besonderen Denkvorgang. Was sich begibt, ist ja nicht einfach so, wie es in der singularischen Erzählung von Gen. 3 zunächst hatte aussehen können, daß nämlich der mit einem Mandat Beauftragte unter Beibehaltung dieses Mandats von einer Partei zur anderen hinüberwechseln könnte. Was hier geschieht, ist die Preisgabe eines Mandats, der Verlust des verliehenen Adelstitels und die Anerkennung einer anderen εἰκών, die eine andere Gottheit repräsentiert. Von dieser anderen εἰκών geht eine ὁμοίωσις aus, wird ein ὁμοίωμα bewirkt. Dem wird der vor dieser εἰκών Knieende ausgeliefert. Der sich nicht mehr von Gott her Verstehende geht dann auf solche Weise seiner Befähigung und seiner Befugnis zum ἄρχειν verlustig. Sein Rang ist dahin. Andere sind jetzt über ihm. Sie vollziehen das κατακυριεύειν Gen. 1,28. Ihn haben sie unter ihren Füßen. Statt die ihm zugewandte δόξα, den den Gottesglanz auszustrahlen (vgl. die ntl. Aussage 2. Kor. 4,6 πρὸς φωτισμὸν τῆς γνώσεως τῆς δόξης) hat sich der Mensch der ihn verwandelnden Wirkkraft fremder Mächte ausgeliefert. Die ὁμοίωσις, das ὁμοίωμα εἰκόνος, das sich bei der Proskynese an dem vollzieht, der sie zelebriert, ist nicht mehr ein Tun, sondern ein Erleiden. So werden die Passivformen der Verben verständlich; ἐματαιώθησαν (21) ἐμωράνθησαν (22). Und auch ἀτιμάζεσθαι (24) gehört dazu, von dem noch zu handeln sein wird. Die Preisgabe Gottes hat Selbstverfremdung, Ichverlust zur Folge. Der Satz, den Käsemann wegen des angeblichen Pleonasmus ὁμοίωμα εἰκόνος als »äußerst schwerfällig« formuliert empfindet und dem er dann doch den Sinn entnimmt: »Nur Perversion setzt Götzenbilder an die Stelle der göttlichen Herrlichkeit« – sagt, wenn man ihn sagen läßt, was er wirklich sagen will, gerade das Umgekehrte: die Perversion des Gottesdienstes, seine Ersetzung durch die religiöse Verehrung der Kreaturen hat die Perversion des Menschenbildes, den Identitätsverlust zur Folge.

Diesem Identitätsverlust, dieser Veränderung der Existenz mit allen ihren Relationen, sind die drei παρέδωκεν-Sätze zugewandt. Sie zeigen in ihrer Summe an, daß die Verwandlung der Menschen und ihrer Situation nicht dem Niedersturz einer alle und alles unter sich begrabenden Lawine vergleichbar ist, die ein unbedachter Fehltritt ausgelöst hätte – als ein namenloses Schicksal. Sie sagen damit auch, daß das in ihnen Gesagte nicht durch weltimmanente Daseinsinterpretation zu erschließen ist. Wir haben uns des ἀποκαλύπτεται 1,18 zu erinnern, der Apokalypse des latent längst vorhandenen, bisher aber zurückgehaltenen Gotteszornes.

1. Das erste παρέδωκεν handelt von der Mensch-Gottbeziehung. Von V. 23 her-
kommend, fällt uns *zuerst* die seltsame *Wiederholung* auf. Aber es wäre irrig,
zu meinen, von V. 23 zu V. 25 a läge ein Gedankenfortschritt nicht vor. Der
neue Akzent wird durch das παρέδωκεν gesetzt. Die »Wiederholung« macht kund,
daß Schuld und Schuldfolge als Strafe inhaltsgleich sind. Durch das παρέδωκεν
wird der Mensch strafweise in seinen selbstverschuldeten Identitätsverlust hin-
eingejagt, in seiner Selbstverfremdung verhaftet.
2. *Das Zweite*, das auffällt, ist die Voranstellung von V. 24 vor V. 25 und ihrer
beider relativische *Verknüpfung* durch das οἵτινες. Die Begriffe ἐπιθυμίαις τῶν
καρδιῶν, ἀκαθαρσίας und ἀτιμάζεσθαι werden damit deutlicher von dem abge-
setzt, was im zweiten παρέδωκεν als sexuelle Verirrung beschrieben ist. Davon
wird eben hier noch nicht geredet, allenfalls von der Voraussetzung dafür. Ein
Rückblick auf Gen. 1,27 bietet Verständnishilfe. »Gott schuf den Menschen nach
seinem Bilde, dem Bilde Gottes gemäß, schuf er ihn; als Mann und als Weib
schuf er sie.«
Gerhard von Rad sagt dazu: »Durch Gottes Wille ist der Mensch nicht einsam
geschaffen, sondern zum Du des anderen Geschlechtes berufen. Der volle Begriff
des Menschen ist nicht im Mann allein, sondern in Mann und Weib enthalten.«
Dieser Einheit in der Zweiheit war insgemein zugeeignet und aufgetragen, was
Gottes Ebenbildlichkeit meint. Wird diese Einheit, die der Erzähler von Gen. 2
so beschreibt, daß Mann und Weib nackt waren, ohne Scham vor einander zu
empfinden, zerstört, bricht einer, sich vom anderen lösend und ihn dann doch
nach sich ziehend, aus der sie bergenden δόξα Gottes aus, dann wird je jeder
einer für sich. Das Prinzip der Individuation nimmt seinen Anfang. Beider
Augen werden aufgetan. Die Augen des je Anderen, der eben noch der ver-
traute Partner in der Einheit war, werden unerträglich. »Sie wurden gewahr,
daß sie nackt waren.« Das Versteckspiel beginnt. »Sie flochten sich Feigenblätter
zusammen und machten sich Schurze« Gen. 3,8. Sinnfrage, Ichfindung, Selbstverwirklichung werden zur qualvollen Aufgabe. Daran denkt Paulus in diesem
ersten Abschnitt, und die Passivform des Verbs ἀτιμάζεσθαι unterstreicht das.
τά σώματα spricht über das individuelle Vereinzeltsein derer, die hätten eins sein
sollen Gen. 2,24. ἐπιθυμίαις τῶν καρδιῶν umschreibt pluralisch Gen. 3,6. Für
ἀκαθαρσία ist an Ex 20,7 zu denken. Dort wird gesagt οὐ γὰρ μὴ καθαρίσῃ κύριος
τὸν λαμβάνοντα τὸ ὄνομα αὐτοῦ ἐπὶ ματαίῳ. Der relativische Einsatz von V. 25
macht diesen Satz zum sachlich vorgeordneten, denn in ihm ist der Grund für
die in V. 24 beschriebenen Folgen angegeben, die dann durch den Gerichts-

vollzug manifest gemacht werden. Durch diese enge Verknüpfung kommt noch einmal deutlich zum Ausdruck, daß das einheitliche Thema dieses Abschnittes die Mensch-Gottbeziehung ist. Wird diese Beziehung zerstört, so ist das folgenreich für den Menschen. In der Gottesferne verliert er sich selbst. Er ist nicht mehr in der ἀλήθεια τοῦ θεοῦ zuhause. ἐν τῷ ψεύδει ist er sich selbst fremd.

3. *Das dritte,* das uns auffällt, ist die mit dem Amen endende Doxologie. Sie bildet eine deutliche Trennlinie, ist also eine Art Zäsur zum folgenden Abschnitt. Manche Ausleger sagen, Paulus folge hier einer ihm vertrauten Gebetstradition. Andere meinen, er wende sich, seinen eigenen Glauben bekennend, mit deutlicher Abscheugeste von dem soeben geschilderten Götzendienst ab. Paulus ist weder eine Gebetsmühle mit automatischer Schaltuhr – so hat auch jüdisches Beten sich nie verstanden – noch bricht der Apostel aus der Solidarität aus, auf die wir oben hingewiesen hatten. Vielmehr macht Paulus mit der Doxologie zugleich eine wichtige Inhaltsaussage, die, daß der Mensch mit seinem Götzendienst immer nur sich selbst schadet. Die Doxologie bekennt betend, daß Gott unantastbar ist, Gott behält seine Identität immer.

Vergegenwärtigung

Soll Exegese mehr sein, als das Nachsprechen eines alten Textes in heutiger Sprache, soll nicht nur zum Ausdruck kommen, was einer früher einmal gesagt, sondern auch, was er gemeint hat, dann müssen die Linien ausgezogen werden bis in diese Stunde. Darum genügen beispielsweise zum Dolmetschen dessen, was Paulus vom Vergötzen von Mensch- und Tiergestalten sagt, auch die Hinweise der Gelehrten nicht, die uns den Besuch der religionskundlichen Abteilungen der Völkerkunde-Museen empfehlen. Was hilft es mir, wenn ich erfahre, daß man beispielsweise in Ägypten auch Schlangen und Krokodile göttlich verehrt hat? Die ehrwürdigen Denkmäler aus alter Zeit können noch Bewunderung oder auch Ekel bei mir auslösen.

Aber unter ihnen bin ich nicht mehr in einer Welt des Glaubens, sondern in einer Gegenstandswelt vergangener Geglaubtheiten, die den Sitz im Leben, den sie einmal hatten, verloren haben. Das Museum ist ein Leichenschauhaus, geeignet, religionsphänomenologische Kenntnisse zu vermitteln, die auch einer sammeln kann, ohne von der »Sache«, um die es eigentlich geht, betroffen zu sein. Will ich Paulus verstehen, muß ich bis dorthin vordringen, wo das, wovon er spricht, lebt, erhebt und erniedrigt, entzückt und quält. Ich müßte also die Geschichte der Bemühungen des Menschen um das Verständnis seiner selbst in seiner Welt durchlaufen, die Geschichte des Sich-Verbergens, Sich-Bergens –

und des sich Neu-Entwerfens, des Fliehens in Kleid und Haus und Metaphysik, weil sie als Zufluchtsstätten erscheinen – und des Fliehens aus Kleid und Haus und Metaphysik, weil sie alsbald wieder als Gefängnisse erfahren werden.

1. Manchmal können alte Dokumente aus dieser Geschichte von Sinnsuche, Ich-findung und Selbstverwirklichung unmittelbar zu sprechen anfangen. So erging es mir mit einem Text, den ich bei der Lektüre der Testamente der Zwölf Patriarchen fand. Test. Rub. 5, 6, 7 steht folgende zunächst abstrus wirkende Passage, in der Gen. 6,1 ff ausgelegt werden soll:

»Sie (die Frauen) haben auch die Wächter (die Gottessöhne von Gen. 6,1) vor der Sintflut so bezaubert. Es sahen jene sie beständig an und gierten so nach ihnen. Und so empfingen sie in ihrem Sinn die Tat und wandelten sich selbst in menschliche Gestalten. Und wohnten jene Weiber ihren Männern bei, dann kamen sie und zeigten sich. Die Weiber aber sehnten sich mit ihrem Sinn nach ihren Scheingestalten und sie gebaren Riesen; denn ihnen zeigten sich die Wächter als bis zum Himmel reichend.«

Dieser Text ist außerordentlich ergiebig für die ὁμοίωσις der εἰκών. Wir bilden den Skopussatz: Die mythenschwangere Menschheit gebiert Giganten. Auf dem Hintergrund eines bis in unsere Tage weiterlebenden Volksaberglaubens, der Jakob im Kampf gegen seinen Schwiegervater Laban zu interessanten Tierzucht-versuchen veranlaßt (1. Mose 30, 37 ff) und der besagt, Schwangere würden bei Sichteindrücken Sonderbildungen an ihrer Leibesfrucht auslösen können, wird hier von unheimlichen Wunschgeburten erzählt.

Die Erinnerung steigt auf, daß im Dritten Reich rassisch für wertvoll gehaltene, möglicherweise dafür vom Wehrdienst befreite Jungmänner im Staatssold damit beschäftigt waren, jungen Mädchen zur Schwangerschaft zu verhelfen, damit sie dem Führer ein Kind schenken könnten. Man weiß von Müttern, die, wie zu einer heiligen Handlung und erhobenen Gemüts, als seien sie zu Außeror-dentlichem begnadigt, ihre Töchter solcher Begattung zuführten. Die Zeitstim-mung wurde von einer Meinungsmache geprägt, die diese Zeremonie mit berau-schenden Worten pries. Es sollte als ehrenvoll gelten, Vater vieler Kinder zu sein, um alsbald wieder in der Anonymität zu versinken, damit die Kinder Kinder des Führers seien. Die Ikone formt ihre Untertanen. Man muß nicht in die Antike zurück, um dem Phänomen der sogenannten heiligen Hochzeit und Erscheinungen wie Tempelprostitution zu begegnen.

2. Dann wieder bleiben die Zeugen stumm. Wen beispielsweise erregten noch die animistischen und totemistischen Relikte in Personennamen, oder die heral-dischen Ungeheuer auf den Wappentafeln der Geschlechter oder auch der Regierungsbereiche, die zwar ihrer angestammten Herrscherhäuser längst ledig

sind, aber deren symbolhaltige Sinnbilder immer noch – und nicht ohne Stolz – im Schilde führen?

Näher schon rücken uns die paulinischen Aussagen, wenn wir sie mit den mythischen Bezeichnungen für die Kriegsmaschinen zu Wasser, zu Lande und in der Luft in Beziehung setzen, wenn wir also fragen, ob nicht das Haifischgebiß am Bug eines U-Bootes, der Name Condor für ein Kampfgeschwader und Drohbezeichnungen wie Tiger, Panther oder Leopard für die feuerspeienden Kettenfahrzeuge menschliche Selbstbekenntnisse sind, Selbstdarstellungen, die den Gegner fürchten machen wollen vor der überlegenen, alles Menschenmaß übersteigenden List, Behendigkeit und Schlagkraft – und dann doch nolens volens das Absinken ins Untermenschliche, das Hineinkriechen in die Tiergestalt, den Rückfall des homo sapiens von seinem Platz in der Evolutionsreihe in irgendeine seiner Unterstufen, im Tun und Erleiden die ὁμοίωσις und das ὁμοίωμα εἰκόνος πετεινῶν καὶ τετραπόδων καί ἑρπετῶν zum Ausdruck bringen.

3. Wirklich erregend wird das angeschlagene Thema erst dann, wenn einer anfängt, es aktuell im Blick auf sich selbst zu problematisieren; wenn einer das Verhältnis seines eigenen Seins zu seinem Bewußtsein zur Frage erhebt und dabei, um einen Maßstab zu gewinnen, die Welt alles Vorgegebenen und alles Vorgedachten hinter sich zurückläßt und in die Zukunft greift, damit er aus ihr das Schaubild seiner eigenen Künftigkeit gewinne. Das geschieht beispielsweise in der Anthropologie Friedrich Nietzsches.

Den Vorstellungshintergrund vom biologischen Werdegang über die Tierheiten zum homo sapiens existenzial interpretierend, bildet er den Begriff Übermensch und hebt ihn in den Rang der εἰκών, deren ὁμοίωσις-Wirkung er sich aussetzt, deren ὁμοίωμα zu sein, das Ziel seiner Selbstverwirklichung wird. Sein Ich wird dabei gespalten, dergestalt, daß er sich zugleich haßt und liebt. Der Transitus von sich weg zu sich hin soll erfolgen. Mit gehobenen Fersen und federnden Gelenken ist er zum Mutationssprung in die nächste Species, in die letzte Wesensgestalt seines Ichs bereit, sich selbt als den, der er eben noch ist, als den »letzten Menschen« niedertretend, wie wenn der nichts anderes mehr als ein Startbrett wäre. Er möchte sagen können: »Das Alte ist vergangen, siehe, es ist alles neu geworden« (2. Kor. 5,17). Der Augenblick, da er dies mit Gewißheit sagen könnte, verdiente den Faustischen Spruch: »Verweile doch!« *Nunc stans.*

Von diesem Augenblicke weiß er in visionärer Verzückung zu reden: »Gesetzt, wir sagen Ja zu einem einzigen Augenblick, so haben wir dadurch nicht nur zu uns selbst, sondern zu allem Dasein Ja gesagt. Denn es steht nichts für sich, weder in uns selbst, noch in den Dingen: und wenn nur ein einziges Mal unsere Seele wie eine Saite voll Glück gezittert und getönt hat, so waren alle Ewigkeiten nötig, um dies eine Geschehen zu bedingen und alle Ewigkeit war in diesem einzigen Augenblick unseres Jasagens gutgeheißen, erlöst, gerechtfertigt und bejaht.«[9]

Aber er vermag sich einer solchen Bejahung seines Seins nicht zu vergewissern. Ihm fehlt der Keryx, das Kerygma, der gewiß machende Zuspruch, denn er ist immer mit sich allein im »siebenter Einsamkeit«. Ihm fehlt das Du, auf das er hören und mit dem er sprechen könnte, das er in liebendem Vertrauen anreden dürfte: »in Einsamkeit mein Sprachgesell« (Paul Gerhardt, EKG 62,7).

Das einsame Ich, das sich auf seinen Tod als auf das Gewesensein »des letzten Menschen« und auf seine Wiedergeburt zu neuer Existenz entwirft, kann sich solchen Todes nicht selbst vergewissern und noch viel weniger seines Neuseins jenseits solchen Todes, wenn es nicht beides von jenem anderen als Gabe empfängt, der der Gekreuzigte und Auferstandene ist. Es kann ja nicht »glaubensvoll« (Paul Gerhardt, EKG 63,10) auf diesen anderen blicken, um mit ihm zu sterben und mit ihm zu leben. Dieses »glühende Herz« will einmal »alles selbst vollendet« (Goethe) haben, um sich alles selbst verdanken zu können. Darum kann dieses Ich nur neidvoll auf den Gekreuzigten blicken und wünschen, es könne »so sterben, wie ich ihn einst sterben sah.«[10] Oder gilt der Neidblick nicht dem Gekreuzigten, sondern dem Sokrates, dem Vielgehaßten und doch wieder Heißgeliebten, der so bewundernswert, so nachahmenswürdig stirbt, daß er in »güldener Heiterkeit« als »des Todes Vorgenuß« dem Asklepios das Arzthonorar anweisen kann, um sich dann, mit sich allein, im erquickenden Bade zu rüsten auf den Tod, als »das Fest der Genesung«?

Sokrates bleibt Nietzsches Qualschatten, von dem er seine Seinsgewißheit erhalten möchte, der ihn aber immer wieder aus den euphorischen Ekstasen herausreißt und ihn zu bitteren Geständnissen nötigt: »Ich fühle mich zu meiner Einsamkeit verurteilt«[11].

»Ich bin der letzte Mensch, niemand redet mit mir als ich selbst ... Geliebte Stimme ... durch dich täusche ich mir die Einsamkeit hinweg und lüge mich in die Vielheit und in die Liebe hinein, denn mein Herz sträubt sich zu glauben, daß Liebe tot sei, es erträgt den Schauder der einsamsten Einsamkeit nicht und zwingt mich zu reden, als ob ich zwei wäre. –«[12]

---

[9] Zitiert nach E. Bertram, Nietzsche. Versuch einer Mythologie, S. 236.
[10] Dionysos-Dithyramben. N. wertet oftmals Neid in eine Tugend um.
[11] Brief an Malwida von Meysenbug, 1887, mitgeteilt von E. Bertram, aaO S. 331.
[12] Nachlaßfragment, zitiert nach E. Bertram, aaO S. 345.

Dann wieder trumpft er auf: »Immer einmal eins – das gibt auf die Dauer zwei«[13], als sei das Als-ob doch brauchbar als pragmatische Fiktion (Vaihinger), um schließlich doch wieder umzuschlagen in einsame Klage:

Jüngst Jäger noch Gottes,
das Fangnetz aller Tugend,
der Pfeil des Bösen!
Jetzt –
von dir selber erjagt,
deine eigene Beute,
in dich selber eingebohrt ...

Jetzt –
einsam mit dir,
zwiesam im eignen Wissen,
zwischen hundert Spiegeln
vor dir selber falsch,
zwischen hundert Erinnerungen

ungewiß,
an jeder Wunde müd,
an jedem Froste kalt,
in eignen Stricken gewürgt,
Selbstkenner!
Selbsthenker!

Was bandest du dich
mit dem Strick deiner Weisheit!
Was locktest du dich
ins Paradies der alten Schlange!
Was schlichst du dich ein
in *dich* – in *dich* ...

(Dionysos-Dithyramben)

Ranke, die sich tastend ins Leere vorstreckt, zu suchen, woran sie sich halten kann und dann nur sich selber erfaßt, sich umwindet und erdrosselt. *Cor curvatum in se ipsum* hat Luther lange zuvor schon einmal gesagt.

Zuletzt und zutiefst geht es doch um den Gekreuzigten. Aber dessen Stimme bleibt die Stimme *extra nos,* auch für Nietzsche. Alle anderen Stimmen kann er sich einverwandeln. Sie sind ja alle Variationen seiner selbst, Personengespenster seiner eigenen Stimme. Der Gekreuzigte bleibt *der andere.* Den aber kann er nicht bei sich haben wollen als seinen »Sprachgesell«. Der kann er nur selber sein wollen. Darum wird die Chiffre *»Ecce homo«* der Titel seiner späten Selbstdarstellung. Eben darum versteht er sich als »ein Schicksal«[14], als den Beginn eines neuen Weltzeitalters[15]. Eben darum macht er in der Hybris seines Mes-

---

[13] Zitiert nach E. Bertram, aaO S. 345.

[14] »Ich erst habe die Wahrheit entdeckt ... Ich bin ein froher Botschafter. Erst von mir an gibt es wieder Hoffnung. Mit alledem bin ich notwendig auch der Mensch des Verhängnisses ...« (Aus: Fr. Nietzsche, Ecce homo, Werke II, S. 305.
»Eben darum bin ich auch ein Schicksal« (Fr. Nietzsche, Werke II, S. 298).

[15] »Man rechnet die Zeit nach diesem dies nefastus, mit dem das Verhängnis anhob – nach dem ersten Tag des Christentums! Warum nicht lieber nach seinem letzten – nach heute?« (Aus: Fr. Nietzsche, der Antichrist, Werke II, S. 242).

sianitätsanspruchs Jesusworte zu Selbstaussagen: ».. . meine Stunde ist da.«[16]
Und eben darum ist auch noch folgerichtig, was die allerletzte Briefäußerung
sagt:

(Poststempel Torino, Ferrovia, 4. 1. 89. – 4 morgens.)
An Peter Gast
Meinem Maestro Pietro.
Singe mir ein neues Lied: die Welt ist verklärt und alle Himmel freuen sich.

Der Gekreuzigte[17]

Diese Zeilen umschreiben das »Es ist vollbracht!« Der Schreiber macht es zur
Selbstaussage. Er fordert auf, daß man den Hymnus der österlichen Freude auf
ihn anstimme. Welt und Himmel seien seinethalben des Jubels voll.

Und zu dem Texte gehört dann wohl als zeichenhafter Ausdruck der Ereignis
gewordenen Allversöhnung jene innige Umarmung eines Droschkengaules in
den nächtlichen Straßen von Turin. Man darf die Nietzsche-Interpretation nicht
vor diesem hybriden Dokument mit der ungeheuerlichsten Urkundenfälschung
abbrechen mit dem Hinweis, daß hier ja offensichtlich schon die Nacht des Wahns
über den Schreibenden hereingebrochen ist. Die immanente Logik des gesamten
Nietzscheschen Denkens reicht folgerichtig bis in diese Stunde hinein. Und von
dieser Stunde aus läßt sich die Einheitlichkeit der sonst so verwirrend vielgestal-
tigen Äußerungen bis in die Frühschriften hinein zurückverfolgen.

Das Prinzip der Individuation wird bis zum *eritis sicut Deus* ausgezogen und
mit einer Erfolgsmeldung gekrönt, bei deren Ausspruch dann die Sicherung
durchbrennt und alle Lichter verlöschen.

4. Wen wundert es, wenn nun die Flucht beginnt aus den Gletscherhöhen der
Bewußtseinsqual, ja aus dem Bewußtsein nicht nur, sondern aus dem Sein überhaupt? Auch ohne Import, ohne Ansteckung aus Fernost, wo man immer schon
das Wiedereintauchen ins Nirwana ersehnte, in dem das Sein und das Nichtsein
identisch sind, wird das Abendland seiner Verkopfung müde. Der Geist gilt als
der »Widersacher der Seele« (L. Klages). Der animistische Rückweg über die
Individuationsreihe ins Apeiron, ins »Weiselose« wird erhofft. Das Gestalthafte,
der Kosmos, möge ins Chaos zurücksinken. Zur Dokumentation eine Stimme:

---

[16] Brief an seine Schwester, zitiert nach E. Bertram, aaO S 292.
[17] Zitiert nach Fr. Nietzsche, Freundesbriefe.

O daß wir unsere Urahnen wären.
Ein Klümpchen Schleim in einem warmen Moor.
Leben und Tod, Befruchten und Gebären
glitte aus unseren stummen Säften vor.

Ein Algenblatt oder ein Dünenhügel,
vom Wind Geformtes und nach unten schwer.
Schon ein Libellenkopf, ein Möwenflügel
wäre zu weit und litte schon zu sehr.

Gottfried Benn

5. *Superbia* und *desperatio* nannte Luther diese Erscheinungsweisen der Nicht-identität, die beide gleich weit entfernt sind von der *Certitudo* des Glaubens, in der einer frohlockend seine Identität als ihm übereignetes Geschenk bekennen kann:

Ich danke Gott und freue mich,
wie's Kind zur Weihnachtsgabe,
daß ich *bin, bin*
und dich schön menschlich Antlitz habe.

Matthias Claudius

Es wird Zeit, in die zweite Lesung einzutreten, *die Lesung von rückwärts*, die wir oben angekündigt haben. Der Webmeister Paulus hat die Kettfäden in den Werkrahmen seines Webstuhles eingespannt. Mit ἀσύνετος beginnt er die Reihe seiner Spannfäden, deren Farben er aus der ersten Dekalogtafel gewonnen hatte (V. 31). Er macht eine Rückverknüpfung an den oberen Rand seines Rahmens (V. 22). Und wir wissen ja, daß dann der Zwillingsfaden ἀσύνθετος gleich mit dazugehört – wie späterhin auch all die anderen Fäden. Paulus läßt sein Weberschiffchen spielen und bildet seine Muster aus. Weiter reicht das Bild nicht, es geht zu Bruch. Darum verlassen wir es und reden im Klartext: Das Begriffspaar ἀσύνετος-ἀσύνθετος bezeichnet, was im ersten παρέδωκεν-Absatz steht, als habe Paulus alle Qualen des mit sich selbst beschäftigten Ich zuvor durchdacht und durchlitten. Eine Annahme, mit der wir nicht einmal fehlgehen. Das 7. Kapitel unseres Briefes läßt noch einiges davon erahnen. Aber Paulus kann darüber nur noch von dem rettenden Augenblick aus reden, der ihm den Einblick in den Abgrund des eigenen Ich ermöglicht hat, so daß er nun sagen kann, wie es um uns alle steht.

Bleiben wir noch bei der *»Rückwärtslesung«*! Dann gelingt uns der unmittelbare Anschluß besser. Wir kommen dann zu dem Wort ἄστοργος aus der α-privativa-Reihe und treten eben damit in den zweiten παρέδωκεν-Abschnitt ein. Er spricht vom Verhältnis von Ich und Du, die beide ihres Selbstseins ungewiß sind und die es darum miteinander schwer haben. ἄστοργος bezeichnet ihrer beider wechselseitige Beziehung zueinander, ist also gleichsam als doppelt vorhanden anzusehen und wird zudem noch mit wechselnden Rollen das eine mal aktiv – das andere mal passiv erfahren.

Kommen wir nun zur *Vorwärtslesung,* so bedürfen wir zuvor einer Begriffsklärung. Bernhard Weiss (89) läßt die Begriffe θήλεια und ἄρσενες abfällige Bedeutung haben. Man müsse »Weibsbild« und »Mannsbild« dafür sagen. Auch Käsemann (44) ist ähnlicher Meinung. Er glaubt, die Ausdrücke beabsichtigten eine einseitige Betonung des im negativen Sinn verstandenen Geschlechtlichen. Davon kann gar keine Rede sein. Mit den Ausdrücken wird lediglich und gänzlich ohne Abwertung der wesensmäßige Unterschied von männlich und weiblich bezeichnet. Und keineswegs nur für den Menschen. Dieselben Ausdrücke kommen in Gen. 7,2 vor, wo von den Tieren geredet ist, die paarweise in die Arche gehen dürfen, damit die Schöpfung durch die Katastrophe hindurchgerettet werde. Die Übersetzer der LXX hätten diese Ausdrücke kaum verwendet, wenn ihnen je einmal ein negativer Beigeschmack angehaftet hätte. Sie haben diese Wörter ohne die leiseste Hemmung gebraucht zur Wiedergabe dessen, was sie in ihrer Vorlage fanden. Und daß die hebräischen Äquivalente in Gen. 1,27 ohne einen Hauch von Abfälligkeit gemeint sind, wird dadurch betont, daß sie mit allem, was Gott gemacht hatte, in des Schöpfers Rühmung einbezogen werden. Gen. 1,31.

Die alte Lutherübersetzung »ein Männlein und ein Fräulein« ist so liebevoll, wie es der Urtext gebietet. Mit einer Voreingenommenheit gegen die Vokabeln θήλειαι und ἄρσενες würde man sich das Verständnis der paulinischen Aussage verderben. Lieber sollte man sich von diesen Ausdrücken nochmals darauf hinweisen lassen, daß der Apostel den Genesistext, in dem sie vorkommen, im Sinne hat. Dann brauchte auch Michels Vermutung, die Voranstellung der Frau könne eine Nachwirkung von Gen. 3 sein (59), nicht ohne Angabe von Gründen zurückgewiesen zu werden[18].

Auffällig ist nun die *Parallelität des Aufbaus* zum ersten παρέδωκεν, die ins-

---

[18] E. Käsemann, An die Römer, S. 45.

besondere durch die Wiederholung des Verbums μετήλλαξαν bewirkt wird. Das zwingt uns, der Parallelität des Gedankenganges Beachtung zu schenken. Eben war gesagt worden: ein gutes Bündnis wird gegen ein ungutes ausgetauscht. Genau darum geht es nun auch hier. Eben hatte die Aussage gelautet: Die Menschen haben die ihnen verliehenen Doxa ausgetauscht gegen die Sklavenrolle, vor Götzenbildern zu knien. Gott spricht: »Mich, die lebendige Quelle verlassen sie und machen sich löcherige Brunnen, die doch kein Wasser geben.« Jer. 2,13. Die Aussage des neuen Abschnittes lautet nun: Mann und Frau verlassen einander, sie laufen von einander weg und suchen sich je jeder einen anderen Bündnispartner. Dieser jeweils andere Bündnispartner, das ist nun das besondere dieses Abschnitts, ist nicht mehr ein Du des anderen Geschlechtes, sondern für die Frau wie für den Mann ihr alter ego in Gestalt eines Jemand ihres je eigenen Geschlechtes. In diesem Zusammenhange taucht der Begriff παρὰ φύσιν auf. Diesem Begriffe gilt es nachzugehen. Paulus hat von einem Naturgesetz neben und außer dem Gesetze Gottes nichts gewußt, weil ihm das Gesetz Gottes als das Gesetz des Schöpfers über die Schöpfung zugleich galt. Darum ist es nicht erlaubt, bei dem Begriff φύσις nun doch im Bereich solcher Spekulationen nach Sinndeutung zu suchen. Test. Rub 3,3 verwendet φύσις eindeutig als Terminus für die Genitalien. Der ganze Textzusammenhang dort enthält eine Aufzählung körperlicher Organe unter dem Gesichtspunkt ihrer Anfälligkeit für Versuchungen. Man könnte darum geradezu von einer Physiologie der Verführbarkeit reden. Test. Napht. 3,4 dürfte φύσις ebenfalls diese Bedeutung haben. Zeitlich ist es möglich, daß Paulus diese Texte gekannt hat, zumindest ist auf seine Vertrautheit mit dem aufgezeigten Sprachgebrauch zu rechnen. Die unmittelbare Bekanntschaft des Apostels mit dieser Literatur dürfte eine Stütze darin finden, daß Test. Napht. 3 eine gleichartige Verknüpfung von Götzendienst und Unzucht aufzeigt und dazu für beides den von Paulus benutzten Begriff »Verkehrung« verwendet. Paulus könnte also durch diese Stelle eine unmittelbare Anregung empfangen haben, von der Verkehrung des Ich-Du-Verhältnisses in der Weise zu reden, wie er es tut. Test. Napht. 3 erwähnt auch Sodom, bei dem man sogleich an das über diese Stadt ergangene Gericht denkt. Auch die Sintflut wird erwähnt und als Strafe für die Verkehrung geschlechtlicher Ordnung erklärt.

Paulus hätte für die Verderbnis des Mensch-Mensch-Verhältnisses auch andere Veranschaulichungen wählen können. Daß er zur Beschreibung des Übelstandes gerade die weibliche und männliche Homosexualität wählt, könnte also den genannten Quellen entstammen. Dennoch wäre damit noch nicht alles erklärt. Es wird hinzuzurechnen sein, daß Paulus auf seinen Missionsreisen solchen Perver-

sität en begegnet ist, noch dazu im Rahmen kultischer Verbrämung. Der eigentliche
Sinn der paulinischen Äußerung dürfte aber darin zu sehen sein, daß der Apostel
von der Absicht bewegt ist, parallel zu dem großen Abstand zwischen dem guten
und dem unguten Bündnis im ersten παρέδωκεν-Absatz auch hier die große
Distanz zum Ausdruck zu bringen, die zwischen dem besteht, was eigentlich sein
sollte, aber bedauerlicherweise stattdessen nun ist. Wir könnten also in Entsprechung zu Jer. 2,13 als die Meinung des Apostels formulieren: Mann und
Frau verlassen einander, brechen aus der Einheit, in der sie einander »in Liebe
erkennend« zu Personen machen würden, aus und wenden sich Partnern des
gleichen Geschlechtes zu, um mit ihnen gegenseitig, zwei rechts zwei links, sinn-
widrigen Gebrauch von den Geschlechtsteilen zu machen, in der Absicht, ihr
Selbst auf solche Weise zu gewinnen – oder zu verlieren. Der Abstand von der
Höhe der Ebenbildlichkeit in die Nichtigkeit findet so seine Parallele. Der
Mensch gibt sein Personsein auf, erniedrigt sich und läßt sich erniedrigen zu
einem Instrument der Selbstbefriedigung. In wechselseitiger Qual erniedrigen
die Partner einander zu Dingen.
Wir müssen dem Problem noch tiefer beikommen. Dazu müssen wir noch einmal
auf Gen. 1,27 zurückgreifen: »Gott schuf den Menschen ihm zum Bilde, zum
Bilde Gottes schuf er ihn; und er schuf ihn, und er schuf sie, einen Mann und
ein Weib.« Haben wir uns im ersten παρέδωκεν dem Begriff des Bildes, der
Ebenbildlichkeit Gottes zugewandt, so liegt der Akzent unseres Interesses jetzt
auf dem Satzstück: »Er schuf ihn und er schuf sie, einen Mann und ein Weib.«
Wir erinnern uns an G. v. Rads Satz: »Durch Gottes Willen ist der Mensch nicht
einsam geschaffen, sondern zum Du des anderen Geschlechtes berufen. Der volle
Begriff des Menschen ist nicht im Mann allein, sondern in Mann und Weib
enthalten.« Und Emil Brunner[19] sagt: »Er schuf ihn, er schuf sie . . .«, das ist der
ungeheure Doppelsatz, so lapidar einfach, daß es einem kaum bewußt wird, daß
mit ihm eine ganze Welt von Mythos und gnostischer Spekulation, von Zynismus
und Asketismus, von Sexualvergottung und Sexualangst hinter uns verschwindet.«
Gen. 2,18 nuanciert »es ist nicht gut, daß der Mensch allein sei, ich will ihm
ein Gegenüber schaffen«. Der Mensch kommt immer als Mann oder Frau vor,
es gibt ihn nicht als neutrisches Individuum. Mann und Frau, beide sind von
einander unterschieden und in ihrer Unterschiedenheit für einander da. So sind
sie in Gemeinschaft beieinander, von Gottes liebenden Armen wie von einem
sie bergenden Ringe umschlossen. Sprengen sie diesen Ring auf, dann wird alles
anders. Dann steht es nicht gut um die beiden. Dann taucht all das, was nach

[19] E. Brunner, Der Mensch im Widerspruch, S. 357.

Brunners eben erwähnter Aufzählreihe als versunken gelten sollte, aus dem Abgrund auf und verdirbt das Miteinander der Menschen.

Vergegenwärtigung

Der sie umfangenden Liebe Gottes entlaufen, sind Mann und Frau kein Dual mehr. Spannung kommt auf. Der Dualismus verwandelt sich in Polarität. Da gibt es einen Pluspol und einen Minuspol. Aus Koordination wird Subordination. Wer wird wem unterlegen sein? Ganz neuartige Herrschaftsstrukturen kommen auf. Es gibt Matriarchate, Patriarchate. Es gibt Amazonenschlachten. Es gibt Männerbünde. Er gibt über lange Zeiten maskuline Herrschaften, über die man kaum spricht, weil man sie für selbstverständlich hält. Und dann gibt es auf einmal einen kämpferischen Feminismus, der nach einer besseren Welt schreit, die des Mannes nicht bedarf. Die Geschlechter werden einander leid. Sie interpretieren sich antithetisch und ringen dann wieder um die Synthese, denn es ärgert sie ihr Anderssein. Die Synthese, die es einmal gab, die Einheit in der Unterschiedlichkeit, ist dahin. Das Tor zur Rückkehr in diese Ganzheit ist verriegelt. So gilt es, eine andere Synthese anzustreben, für die die Forderung nach Gleichberechtigung nur eine Zwischenstufe ist, sie fordern die Gleichheit. Schon kleiden sie sich gleich. Sie gehaben sich gleich. Sie wollen einander völlig gleich sein. Darum verlangt's die Konsequenzmacherei, darum zu kämpfen, daß die Frau das Recht habe, im Untertagebau eines Bergwerkes mitzuarbeiten. In Schweden hat man ihr dieses Recht durchgesetzt. Und der Mann wird Hebamme. Er würde auch Amme werden, wenn er könnte. Aber das kann er nun doch nicht. Das Kinderkriegen wird er ebenfalls nicht lernen, obwohl im Klassenkampf der Geschlechter *sie* gerade dies *ihm* lange schon gegönnt hätte. Sie kann längst auch nicht alles, was sie möchte, denn da bleibt immer noch ein »kleiner Unterschied«[20]. Die Synthese gelingt nicht. Sie war einmal. Unter dem παρέδωκεν ist sie nicht mehr herstellbar. Ob man darum darauf kommt, den synthetischen Menschen nun künstlich herzustellen? In der Phantasie einiger Gen-Wissenschaftler kommt schon die Vision herauf, man könne künftig auch noch die zeitweilige Einmietung eines in der Retorte gezeugten Lebewesens in einem natürlichen Mutterleibe vermeiden. Mit einigen Tieren hat man schon fertiggebracht, Kopien, lebendige Kopien herzustellen. Gibt es unter dem παρέδωκεν irgendeine Möglichkeit, die »Freiheit« der Forschung daran zu hindern, daß

[20] Nach einem Buchtitel von Alice Schwarzer.

sie sich daranmacht, auch den Menschen zu kopieren? Es klingt visionär: »Hier sitze ich und forme Menschen, ein Bild das mir gleich sei ... Und dein nicht zu achten wie ich.«

Das »Individuum« als εἰκών des Nihil

Vielleicht ließe sich darauf hoffen, daß das Experiment nicht gelingt. Diese Hoffnung geht fehl. Das Experiment ist schon gelungen. Es gibt bereits das Bild des Menschen, der nicht mehr Mann oder Frau ist, sondern beiden gegenüber ein Drittes.

Dieses Menschenbild liegt vor im modernen Begriff »Individuum«. Modern wird er genannt, dieser Begriff, weil er unterschieden werden muß von dem nützlichen, ja geradezu unentbehrlichen Zahlwort, mit dem man wie eh und je so auch heute noch einen Menschen mehreren oder vielen oder allen Menschen gegenüberstellen kann. Neben diesem vergleichsweise harmlosen Begriff gibt es den anderen Begriff Individuum, von dem nun die Rede sein soll.

Könnten wir diesen Begriff hinsichtlich seiner Geltung auf unseren Lebensbereich einschränken, dann ließe sich seine Herkunft leicht als geschichtsnotwendig begreifen. Das wäre gewiß zu kurz gegriffen. Die geschichtliche Herkunft und Entfaltung des Begriffs müßte gründlicher erschlossen werden. Wir bedienen uns hier dennoch der Kürze halber des leichteren Verständniszugangs. Nach einer Epoche diktatorischer Gewalt, die dem Einzelnen verkündete: »Du bist nichts, dein Volk ist alles«, sollte der Mensch als Einzelner wieder zu seiner Würde und zu seinem Recht kommen. So wurde der Einzelne wieder in die Mitte gestellt und zum Bezugspunkt des Rechtsdenkens gemacht. Weder Rasse, Klasse, Alter noch Geschlecht und was es sonst an Unterschieden geben möchte, sollten Rechtsunterschiede begründen können. Niemandem sollte ein Vorteil oder ein Nachteil daraus erwachsen, daß er so und nicht anders ist. Dazu brauchte man einen Begriff Mensch in der Einzahl, der geeignet wäre, alle nur erdenklichen Unterschiede in sich einzufangen. Er mußte also so gegen 0 differenziert werden, daß er selbst aller Eigenschaften ledig wäre. So kam man auf den Begriff Individuum, in der Meinung, er könne auch den Unterschied zwischen Mann und Frau noch aufheben und für beide rechtsfolgewirksam gelten.

Das an diesem Begriff Individuum orientierte Rechtssystem hält sich für autonom. Indessen täuscht es solche Autonomie nur vor. Das kann es sich freilich aus sich selbst nicht einsichtig machen. Das tritt erst ans Licht, wenn der Begriff Individuum mit der biblischen Aussage von der Gottesebenbildlichkeit des Menschen verglichen wird. Dafür müssen wir uns zweierlei in Erinnerung rufen: Daß der Begriff Ebenbildlichkeit immer nur mit εἰκών und ὁμοίωσις zusammen ausgesagt werden kann – und daß der biblische Begriff Mensch »nicht im Mann allein«, sondern, wie wir eben konstatierten, in »Mann und Weib« enthalten ist. Von daher gesehen, erscheint uns der Begriff Individuum als eine Art Spaltprodukt, denn er entstand durch einen Vorgang, der durchaus der Kernspaltung vergleichbar ist. Da werden ja unterschiedlich geladene Teilchen freigesetzt und außerdem Neutronen. In unserem Falle also stieben Mann und Frau auseinander und da gibt es als ein Drittes das Neutron Individuum. Dieses Neutrum soll nun ihrer beider Sache vertreten. Man gibt es aus als das maßstabsetzende Menschenbild. Wieder fällt uns Gottfried Benn ein: Verlorenes Ich, zersprengt von Stratosphären/Opfer des Ion-: Gammastrahlen – Lamm/Teilchen und Feld.

Dem Individuum werden Rechte zugestanden, aber niemand kann es in Pflicht nehmen. Wer es dennoch wollte, träfe es nicht an, denn es hat keinen Wohnsitz. Mit dem Abstreifen aller Eigenschaften hat es auch die Eigenschaft des Existierens abgelegt. Es ist ein Nichts und dennoch überaus wirkungsmächtig. Es hat kein Wahlrecht und beherrscht dennoch nicht nur die öffentliche Meinung, sondern auch die Regierungen und die Parlamente. Das Nichts wird im Begriff zu einem Etwas und dieses Etwas wird dann zu einem Jemand personifiziert, gleichsam zum Normaljemand, mit dem sich dann jeder dauernd vergleicht. Das Individuum wird das schlechthinnige Berufungsmodell, unter Hinweis auf das alle Rechtsansprüche geltend gemacht werden. Das Formbild Individuum wird vor den Augen der gesetzgebenden Instanzen an die Projektionswand geworfen, damit die von Mann und Frau vorgebrachten Wünsche und Forderungen vor ihrer Erhebung zum Gesetz in der parlamentarischen Diskussion an seinem Normenmaß einer Berechtigungsprüfung unterzogen werden. Die Meinung dabei ist, der Begriff Individuum stelle das repräsentative Menschenbild dar, an dem das, was rechtens sei, maßgenommen werden könne, wie man Entfernungen nach dem berühmten Pariser Meter mißt und wie man die Zeit nach der Normaluhr stellt.

Aber was für ein Maß haben wir da vor uns? Wen repräsentiert es wirklich? Und wie steht es mit der behaupteten Autonomie? Der Begriff war gebildet worden, daß er den Mann und die Frau gleicherweise repräsentiere und das Maß setze für ihrer beider Gleichberechtigung. Das abstrakte Individuum repräsentiert aber nicht die konkreten Menschen in ihrem jeweiligen Sosein.

Wir wissen doch, wie es sich mit εἰκών und ὁμοίωσις verhält. Das Individuum ist die εἰκών des Nichts. In dieser Gestalt übt es seine ὁμοίωσις aus. Und das Nichts nichtet (Heidegger), es vernichtet. Das vollzieht sich auf folgende Weise: Ist das biblische Menschenbild in seiner Ganzheit nicht mehr intakt, sind in ihm nicht mehr Mann und Frau in ihrer Unterschiedenheit zur Einheit verbunden, hat die »Kernspaltung« Mann und Frau vereinzelt, dann existieren beide gleichsam je jeder für sich als Halbexistenz. Diese Halbexistenzen nun sind je jeder für sich bemüht, das Bewußtsein ihrer Ganzheit zu erlangen. Sie nennen das Selbstverwirklichung. Und dafür steht ihnen das nichtige, nichtigende Individuum Modell.

So gelangen die Menschen unter die Ikonokratie des Begriffs Individuum, die keineswegs eine Autonomie ist, sondern die Heteronomie des Nihil. Der Autonomist fragt im Blick auf das Ganze nach seiner Verantwortung, um sich nach dem Maß seiner Erkenntnis für seine Pflicht zu entscheiden. Wer sich auf die Ikonokratie des Begriffs Individuum einläßt, kann letztlich den Begriff Pflicht gar nicht mehr denken. An seine Stelle tritt der Rechtsanspruch, den einzulösen und zu erfüllen dann die anderen da sind.

Von dieser Erkenntnis aus müßte eine Exegese, die in dem Sinne contextual sein will, daß sie ihre Auskünfte in *the worlds agenda* einträgt, in eine Auseinandersetzung nicht nur mit den Impressionen, Assoziationen und Conclusionen eintreten, die wir oben aufgezählt haben. Sie müßte sich auch mit dem Faktum der gesetzlichen Legitimation der Homosexualität und ihrem Begründungshintergrund befassen. Sie müßte sich auch mit den Stimmen von Theologen befassen, die Paulus kurzerhand für rückständig – obwohl gerade er so erstaunliche Heilerfolge zu verzeichnen hat (1. Kor. 6,11) – erklären. Und nicht nur ihn, sondern die auch dem Gesetzgeber vom Sinai vorhalten, er habe seine Erlasse zu früh herausgehen lassen. Er gäbe inzwischen Neuerkenntnisse, die einige dieser Erlasse veränderungsbedürftig machten. Andere müßten wohl ganz abgeschafft werden. Man sei bereit, auf langjährige »Seelsorge-Experimente« gestützt, seinen Formulierungsbeistand anzubieten.

Diese Auseinandersetzung kann hier nicht geleistet werden, unsere Arbeit geriete darüber völlig aus den Fugen. Nur *ein Beispiel* aus dem Umkreis der Diskussion um die Neufassung des § 218 sei angeführt. Eine feministische Stimme schrieb am 26, 6. 1971 in der »Neuen Westfälischen«: »Denn mein Bauch gehört mir eben nicht immer allein. Zeitweilig gehört er gleichzeitig jemand anderem, der ihn als Nahrung, Heizung, Schutz vor allerlei Unbill benötigt und dem er von der Natur genauso gerechter- oder ungerechterweise überlassen wurde wie mir selbst. Die Ansprüche dieses Einwohners kann ich nur auf eine einzige Weise abwehren – indem ich ihn totschlage. Die elegantere Lösung wäre freilich, ihn gar nicht erst hereinzulassen. Aber es bleibt eben immer ein Rest von problematischen Fällen, die sich auch mit der Pille nicht rechtzeitig lösen ließen, und um die geht es in dem jetzt entbrannten Streit. Wir Frauen dürfen ihn nicht führen wie den Kampf um gleichen Lohn für gleiche Arbeit oder um das Wahlrecht. Wir müssen uns vergegenwärtigen, daß wir in unserem Kampf um Selbstbestimmung und Selbstverwirklichung an eine Grenze geraten sind, an der es nicht mehr um uns allein geht.

Hier streiten wir nicht mehr gegen den übermächtigen Mann, der uns einengt, bevormundet, unterdrückt. Hier führen wir einen Schlag gegen das schutzbedürtigste menschliche Wesen, das es gibt: das ungeborene Kind. Unsere letzte, restlose Freiheit verlangt Blutopfer – anders können wir sie nicht verwirklichen. Die Natur entläßt uns nicht ungestraft aus unserer Rolle der biologischen Vervielfältigungsmaschine. Der Mann vervielfältigt sich außerhalb seiner selbst – wir nicht. Er ist die Transzendenz, wir sind die Immanenz, sagt Simone de Beauvoir. Besamen ist Lust, Gebären Last. Wir können unter dieser Bestimmung ächzen und fluchen; verleugnen können wir sie nur, indem wir schuldig werden. So hoch ist der Preis, den eine Frau für wirkliche Freiheit zahlen muß. *Stella.*«[21]

Diese Stimme besitzt eine löbliche Klarsicht dafür, daß der Embryo ein Mensch, eine Person ist. Damit ist sie allen denen überlegen, die den in einem Mutterleib wachsenden Menschen als ein Etwas ansehen und behandeln wollen – und die demgemäß neutrische Begriffe dafür verwenden. Auch Begriffe wie Leben oder auch werdendes Leben sind ja irreführend. Der Begriff Person gehört hierher im Vollsinn der ihm zugehörigen Rechtsgleichheit. Der Begriff des Werdens gibt überhaupt kein Unterscheidungsmerkmal her, denn er gilt gleicherweise für einen Jemand, der in der Frühphase seines Existierens noch im Mutterleibe lebt, wie für den, der schon daraus hervorgetreten ist. Das ist der eben zitierten Stimme klar. Insofern ist richtig gesehen, daß es hier um eine Variation des Grundverhältnisses von Ich und Du geht. Nun aber ist ein blinder Fleck im Auge der Sprecherin hinderlich, daß sie ihr Ich erkenne. Ein Sprengstück Mensch will das Los der Mutterschaft mitsamt der darin eingewickelten Segnung, daß dem παρέδωκεν zum Trotz dennoch Zukunft sei und Menschen geboren werden sollen, von sich weg stoßen. Die Berufung zu solch hoher Aufgabe erscheint als der eigentliche Ich-Defekt, als die Abweichung vom Modellbild Individuum. Und dieser Ich-Defekt ist identisch mit der Person des Du. Für den Vollzug der Selbstverwirklichung gilt es also, dieses Du zu beseitigen. Der Embryo ist als der »andere« die »Hölle« (J. P. Sartre). Die hier zur Rede stehende Indikation ist bislang nie definiert worden. Man müßte sie die existentielle Indikation nennen.

---

[21] Zitiert nach Materialien für den Dienst in der Evang. Kirche von Westfalen, Heft 1, S. 29.

Sie steht – nicht einmal in Verborgenheit – hinter der öffentlichen Erörterung des Problems. Der blinde Fleck im Auge läßt nicht zu, daß das Ich das wahre Wesen seiner Selbstverfremdung erkenne. Sonst könnte doch das sich hier öffentlich als menschenmordend bekennende Programm sich nicht als Selbstbefreiung der Frau bezeichnen. Das um seine Selbstverwirklichung bemühte Ich, in die Ich-Mich-Dialektik eingefangen, der Fr. Nietzsche den Stempel »Selbstdenker – Selbsthenker« aufgedrückt hat, betreibt die Selbstverwandlung in eine Art Negation seiner selbst und reißt das Du und damit im Grunde alle in seine Negation mit hinein.

Das dritte παρέδωκεν

(Die Summe und der Sonderakzent)

Der dritte παρέδωκεν-Absatz unterscheidet sich im Aufbau von den beiden vorhergehenden. Die parallele Satzkonstruktion ist verlassen. Es fehlt die nochmalige Wiederholung des μετήλλαξαν. Sodann fällt die größere Ausführlichkeit auf. Den Hauptinhalt bildet der Lasterkatalog. Mit ihm haben wir uns ja schon eingehend befaßt und dabei erkannt, daß er keineswegs als ein erregter Unmutsausbruch eines ungezügelten Temperaments angesehen werden darf, sondern daß er eine bis ins Detail sorgfältig »prämeditierte«, am Dekalog orientierte Ordnung enthält.

Wir müssen uns diesem Gebilde erneut zuwenden. Dabei fällt uns auf, daß einiges in den vorangehenden παρέδωκεν - Sätzen Verhandelte wieder auftaucht. Das Problem »verlorenes Ich« ist ebenso wieder da, wie das verkehrte Ich-Du-Verhältnis. Insofern haben wir es mit einer Summierung zu tun. Deren nachgewiesener Dekalogbezug macht wahrscheinlich, daß Vollständigkeit angestrebt war. Somit dürfte das aus dem heutigen Text herausgefallene πορνεία, das wir in unsere Auslegung – wenn auch mit einem Fragezeichen versehen – mit einbezogen hatten, dem Quellenbefund zum Trotz für ursprünglich gehalten werden. Die Wiederentdeckung des schon seit unvordenklichen Zeiten in Vergessenheit geratenen Dekalogbezuges ermächtigt uns zu der Annahme, die Echtheit von πορνεία sei indiziert. Wir können also das Fragezeichen streichen.

Nun aber wird in der Summe nicht nur wiederholt. Eine bisher nicht zu konstatierende Akzentsetzung kommt hinzu: War vom Verhältnis Ich-Mich wie vom Verhältnis Ich-Du in Seinskategorien gehandelt worden, so treten jetzt Ausdrücke auf, die vom Begehren, Haben und Behaltenwollen von Sachgütern reden.

Das Mensch-Ding-Verhältnis tritt ins Blickfeld. Aber nun nicht so, als könne eigenständig und abstrakt davon gesprochen werden. Schon bei dem Versuch, den zweiten παρέδωκεν-Abschnitt zu erhellen, war uns aufgefallen, daß das im ersten παρέδωκεν-Satz Gesagte darin einbezogen war. Ich und Du brachten ihre je eigene Problematik mit in ihr Verhältnis zu einander hinein. Ebenso wird nun das Verhältnis zu den Dingen mit allem zuvor Erörterten im Zusammenhang gesehen. Die Summierung vollzieht mehr als bloße Aufzählung. Das Ganze ist auch hier mehr als die Summe seiner Teile.

Aber wie ist das hier gemeinte Ganze zu erhellen und zur Sprache zu bringen? Wir versuchen es mit der uns bekannten Methode des Einfärbens und wir vollziehen sie in zwei Anläufen.

Wir hatten den Lasterkatalog wegen seines Gefälles mit einer Kaskade verglichen (S. 11). Nun folgen wir dem Einfall, dieser Kaskade ein Sprachgebilde anderer Herkunft als Kontratext, der ebenfalls Kaskadencharakter hat, zu assoziieren. Wir meinen die Strophe aus Hyperions Schicksalslied:

> Doch uns ist gegeben,
> Auf keiner Stätte zu ruhn,
> Es schwinden, es fallen
> Die leidenden Menschen
> Blindlings von einer
> Stunde zur anderen,
> Wie Wasser von Klippe
> Zu Klippe geworfen,
> Jahrlang ins Ungewisse hinab.

Friedrich Hölderlin

Die vergleichende Gegenüberstellung beider Texte bringt Gleiches und Ungleiches in den Aussagen ans Licht. Zeitbegriffe:»von einer Stunde zur anderen« und »jahrlang« zeigen an, daß Hölderlin an die Geschichte der Menschen denkt. Eben davon handelt auch der Lasterkatalog. Aber während Hölderlin seinen Hyperion – mit neiderfülltem Blick auf die von seinem Lose unberührten Himmlischen – selbst das Wort ergreifen läßt, um sein Geworfensein ins Ungewisse als blindes Geschick zu beklagen, ist im Lasterkatalog des Paulus der eigentlich Redende Gott, der in der Apokalypse seines Zornes die von ihm abgefallenen Menschen in die Selbstbewältigung ihres Daseins hineinschickt. παρέδωκεν αὐτοὺς ὁ θεὸς heißt dann, so gesehen, Gott überantwortet die Menschen ihrer Geschichte. Und ποιεῖν heißt, die Menschen werden sich ihr Schicksal selbst bereiten. Sie werden im Vollzuge ihres Tuns und Lassens zu Selbstvollstreckern des über sie ergangenen Todesurteils – ἄξιοι θανάτου εἰσίν (v. 32). Und dies mit Wissen –

τό δικαίωμα ... ἐπιγνόντες und Willen οὐ μόνον αὐτὰ ποιοῦσιν, ἀλλὰ καὶ συνευδοκοῦσιν τοῖς πράσσουσιν. (V. 32). Nicht nur die Geschichte selbst, sondern auch noch die sie beschreibende Historie tritt ins Blitzlicht der Zornesapokalypse.

Das alles aber ist das erklärte Gegenteil dessen, was den Menschen eigentlich zugedacht war. Insofern ist auch hier – obwohl die Vokabel fehlt – von einer μεταλλαγή die Rede. Das ist daran erkennbar daß auch dieser 3. Abschnitt für sich selbst noch einmal eng an den V. 23 angeschlossen wird. Das ist der Sinn des V. 28. Und wie zur Unterstreichung dessen, wird mit ἀδόκιμον νοῦν die Verknüpfung zum ersten und in Folgerichtigkeit damit stillschweigend auch zum zweiten παρέδωκεν - Satz vollzogen. Somit ist der Sonderakzent des dritten παρέδωκεν - Satzes in die Summe eingebettet. Das nötigt uns, nun auch den nächsten Einfärbungsvorgang noch durchzuführen.

Für die Herausschälung des Sonderakzents müssen wir Gen. 3 noch einmal in den Blick nehmen:

Der priesterschriftliche Schöpfungsbericht Gen. 1,1–2,4a geht in Tagesschritten auf den Tag der Vollendung zu, den 7. Tag, dem die abschließende Formel »so wurde es Abend und wieder Morgen« fehlt, weil er als der Schöpfungssabbath ohne Ende gedacht war. Das Besondere dieses Tages ist die Ruhe Gottes, die als etwas »Neues neben dem Schöpfungsvorgang«, »als eine Sache ganz für sich angesehen werden« muß (v. Rad, S. 48) Gott segnete den siebenten Tag und heiligte ihn. *Heilige Zeit, Friede* ist das Ziel der Schöpfung.

Demgegenüber ist der jahwistische Schöpfungsbericht Gen. 2,4–25 – ungeachtet anderer Unterschiede, die hier nicht zur Erörterung stehen, – von Raumvorstellungen beherrscht. Die Erde, das Feld sind Grundbegriffe. Himmelsrichtungen werden genannt und Landschaft gliedernde Paradiesesflüsse. Von besonderer Wichtigkeit ist der Garten, der Bleibe bietet für alle, und in dem alle satt werden können, sodaß keiner darben muß. Den Unterschied zwischen solchen, die haben und anderen, die nicht haben, gibt es nicht. Der Mensch ist zum Hüter und Bebauer dieses Gartens bestellt, cooperativ der Mensch und sein Weib, »das ihm Gott selbst wie ein Brautführer zuführt«[22]. *Heiliger Raum* ist der rechte Name für dieses bergende Zuhause in Gottes Gegenwart, darin *Gerechtigkeit* wohnt. Werden beide Texte als Wechselgesang einer Psalmodie verstanden, deren Antiphon der Dekalog ist – das meint mit anderen Worten: werden im Blick auf diese Texte so bedeutsame Ergebnisse der historisch-kritischen Erforschung des Alten Testaments wie die Unterscheidung der Quellen im Pentateuch und ihre redaktionelle Zusammenfügung mit der Erkenntnis, daß der Bund Gottes mit

[22] G. von Rad, Das erste Buch Mose, ATD 2, S. 68.

Israel den biblischen Schöpfungsaussagen vorangeht, gebündelt und zur gemeinsamen theologischen Aussage gebracht, dann kommen heiliger Raum und heilige Zeit zum Zusammenfall, darin Gerechtigkeit und Friede sich küssen (Ps. 85,11). Sie dürfen es, sie können es, sie sind ja beieinander. Gott, der Vater, umschließt sie mit liebenden Armen »Ost- und westliches Gelände ruhen im Frieden seiner Hände«. Friede und Gerechtigkeit werden den Menschen als *Gottes Gabe* und *Aufgabe* anvertraut. Folgt aber nun der Dekalog als finale Antiphon auf Gen. 3, so wird er zum richterlichen Schwert. Er verwandelt sich in die *lex accusans*. In dieser Gestalt haben wir den Dekalog im Lasterkatalog des 3. παρέδωκεν vor uns. Der Apostel spricht in indirekter Rede, er sagt den Christen zu Rom als seinen Mitwissern, gleichsam objektivierend, was ihm im Augenblicke des Heilsempfanges als Zornesapokalypse, als Enthüllung des Gesetzes kund ward. Damit sei ein Unterschied gekennzeichnet zu dem, was die Dogmatiker den *secundus usus legis elenchticus* genannt haben, den es eigentlich nur in direkter Rede geben kann.

Die Rückwärtslesung: ἄσπονδος *und* ἀνελεήμων

Es geht uns nun noch um die zweite Lesung, die Lesung von rückwärts. Die kann kurz sein. Es stehen uns ja nur noch die beiden Ausdrücke ἄσπονδος und ἀνελεήμων zur Verfügung. Aber gerade sie sagen in der wünschenswerten Deutlichkeit, was hier zu sagen ist. Die Menschen, die aus dem Raume, in dem Friede und Gerechtigkeit sich küssen konnten (Ps. 85,11) entlaufen und entlassen worden sind, müssen nun in der Abwesenheit von Friede und Gerechtigkeit existieren. Sie können nicht mehr fein und lieblich wie Brüder in Eintracht beieinander wohnen (Ps. 133,1) und sie können ihr Brot nicht mehr miteinander teilen (Auslegung von Matth. 4. in Dostojewski, Der Großinquisitor). Damit dürfte dann auch die Ursprünglichkeit von ἄσπονδος eine Art Indizienbeweis empfangen haben; aber gemach! – der schlüssige Beweis steht am rechten Ort noch bevor.

Der Aufbau der παρέδωκεν-Einheit

Wir erinnern uns des Exkurses über die Zusammenschau der Versuchungsgeschichte Jesu (Matt. 4, 1–11) mit dem Reinigungsritus des Aussätzigen (Lev. 14,1ff) und ihrer beider Beziehung zu Gen. 3. Die Annahme, die παρέδωκεν - Dreiheit sei aus diesem Kontext geformt und darum auch von ihm her auszulegen, hat sich bestätigt. Der Gesamtzusammenhang ist nun vollends herausgestellt. Somit können wir jetzt nicht nur den Sonderakzent des dritten παρέδωκεν durch die Kurzformel Ich-Es-Du definieren. Wir können auch den gedanklichen Aufbau der gesamten παρέδωκεν - Dreiheit markieren:

1. παρέδωκεν : das Ich –
2. παρέδωκεν : Ich und Du – in der Gottesferne
3. παρέδωκεν : Ich-Es-Du –

Es sollte künftig nicht mehr behauptet werden, hier liege ein gedanklicher Fortschritt nicht vor.

Gedanken zur Aktualisierung

Was aber geht aus solcher Zusammenschau hervor? Wir empfangen eine Bestätigung dafür, daß die Bibel den Menschen immer »ganz« denkt – in Heil und Unheil. In dieser Hinsicht darf kein Graben aufgerissen werden – weder zwischen dem Alten und dem Neuen Testament, noch zwischen dem synoptischen Jesus und Paulus.

Wird in unser Mitbedenken gerufen, daß die Formel Ich-Es-Du mit dem ausdrücklich als programmatisch zu verstehenden Nachsatz »in der Gottesferne« die Denkstruktur des Marxismus darstellt – zum diagnostischen Aufweis, daß die Selbstentfremdung des Menschen und demgemäß auch jedwedes Mißverhältnis zwischen Ich und Du in der unterschiedlichen Teilhabe am materiellen Etwas seine Ursache habe und zur therapeutischen Verheißung des historisch-dialektischen *ordo salutis* über die Antithesen des Vielhabens Weniger und des Wenighabens Vieler zur Synthese der Anteilhabe aller an allem, – dann öffnet sich die Tür zu einer hochaktuellen Diskussion.

Wer sich in der Präsenz der unverstellten Paulusstimme auf diese Diskussion einläßt, wird sich alsbald in einer Zwickmühle wiederfinden. Denn Paulus hält sich keineswegs kurzschlüssig zu einseitiger Parteinahme bereit. Er führt eine Art Zweifrontenkrieg. Wer mit einem Glaubensverständnis in die Arena tritt, das einzig aus dem Verhältnis Gott und die Seele gewonnen wurde, somit auf Innerlichkeit beschränkt bleibt und den Dingbezug ausklammert, dem gestattet der Apostel nicht, den Gegner als einen Materialisten zu tadeln. Wird man nicht gar sagen müssen, daß der Marxismus eine innergeschichtliche Antwort auf ein Christentum war, das sich solcherart mißverstand? Und wer gar Gottes Namen im Munde führt, um mit seiner Hilfe seine Macht und seine Habe vor dem Zugriff derer zu schützen, die da hungert und dürstet nach der Gerechtigkeit, dem versagt Paulus auch noch seinen Beistand im Atheismusstreit. Der Gott, der wie eine Bronzebüste als Briefbeschwerer auf den Wertpapieren hockt, ist ja nicht der Gott der biblischen Verkündigung, dem Paulus seine Existenz und seinen Auftrag verdankt – »des ich bin und dem ich diene« (Acta 27,23) – sondern ein Götze, der längst seiner Entlarvung, der dringend seiner Verneinung bedarf. Ist nicht ideologischer Überbau die sachgemäße Bezeichnung dafür?

Zugleich wird freilich auch ersichtlich, daß der Marxismus das παρέδωκεν nicht aufzubrechen vermag. Nach Paulus ist der Unterschied von Haben und Nichthaben nicht die Wurzel der Selbstentfremdung, sondern eine ihrer Folgeerscheinungen. Es bleibt ein ernster Denkanstoß, daß und wie die Urgemeinde das Problem des Habens in ihre Vorstellung von Heilsgegenwart einbezogen hat. Das unerläßliche Gespräch über die Gottesfrage in diesem Zusammenhang wird geläutert, wenn einsichtig bleibt, daß Gottesverwertung und Gottesverwerfung unwertgleiche Geschwister sind, die einander nichts vorzuwerfen haben. Die aktuelle Auseinandersetzung wäre ein großes Thema für sich. Aber es gehört zur Aufgabe des Auslegens, darauf hinzuweisen, welch ein Arsenal an erkenntnistheoretischen Kriterien dafür hier bereit liegt.

τὰ μὴ καθήκοντα ist der umfassende Ausdruck, mit dem alles Tun des Menschen unter dem παρέδωκεν Gottes beschrieben wird. Dieser Begriff ist so blaß, daß ihn auch eine Mutter benutzen könnte, wenn sie ihrem Kinde sagen will, es solle nicht in der Nase bohren. Der Sinn, in dem Paulus diesen Begriff verwendet, kommt heraus, wenn man ihn als die Negation von Röm. 12,2 versteht, als Verneinung des Willens Gottes, Verneinung von τὸ ἀγαθὸν καὶ εὐάρεστον καὶ τέλειον. Der Mensch tut das, was er eigentlich nicht tun sollte. Er ist ja auch nicht mehr eigentlich der Mensch. Wir haben gesehen, wie seine Uneigentlichkeit ihn selbst übergreifend ganze Rechtssysteme anstecken und in solche Uneigentlichkeit mit hineinreißen kann. Paulus sagt in Röm. 8, 19, 20ff., daß die ganze Schöpfung in des Menschen Fall hineingerissen sei und daß die Schöpfung seufze und sehnlichst darauf warte, dem Menschen als dem Ebenbilde Gottes wieder begegnen zu dürfen. Der Mensch als Gottes Ebenbild war ja einmal zu einer guten Herrschaft über sie berufen. Die war dann umgeschlagen in ein Schreckensregiment. Die Schöpfung seufzt nicht nur, sie schreit schon. Der Aufstand der Dinge kündigt sich an, die Vision, daß der Mensch dort, wo er zu herrschen meint, der Beherrschte, Versklavte, Überfallene seiner eigenen Machenschaften wird. Daß die Dinge den Menschen unterjochen und unter sich begraben, ist eine Denkbarkeit geworden.

Von wem ist hier die Rede? Wir hatten diese Frage vor uns hergeschoben. Inzwischen ist freilich längst die Antwort sichtbar geworden. Doch wollen wir
sie ausdrücklich festhalten. Schlatter sagte, Adam komme nicht vor (61). Wir haben gesehen, daß Adam doch vorkommt. Es ist immer von Adam, nur von Adam
die Rede, durch alle Generationen, in allen Variationen. Michel sagt, am »Fehlen
des Begriffes νόμος« erkenne man, »daß die beurteilten Menschen als Heiden
angesprochen werden müssen« (51). Wir haben gesehen, daß der νόμος nicht
fehlt. Der νόμος bestimmt die Gesamtaussage. Er wird nicht nur im dritten
παρέδωκεν in einer Ausführlichkeit entfaltet, wie sie sonst in der gesamten Heiligen Schrift nicht mehr vorkommt mit der alleinigen Ausnahme der Grund-
stellen, die von seiner Einsetzung (Ex. 20) und seiner Wiederholung (Deut. 5)
berichten. Er bestimmt auch, wie wir gesehen haben, Gliederung und Inhalts-
kennzeichnung der ganzen παρέδωκεν - Dreiheit. Was nicht vorkommt, ist τὰ
ἔϑνη, obwohl Paulus diese Bezeichnung gut kennt. Wenn er von Heiden sprechen will, um sie von Juden oder Juden von ihnen, wie es gleich im nächsten
Kapitel geschieht, zu unterscheiden, verwendet er das Wort sachgemäß. Hier
vermeidet er es mit Absicht, weil er nicht isoliert von ihnen sprechen will, sondern von der gesamten adamitischen Menschheit. *Adam im Scheinwerferlicht des*
νόμος ist der Inhalt dieses Abschnitts. Adam soll seine Not sehen, denn er soll
nicht darin bleiben müssen, er soll gerettet werden, die Stunde der Rettung hat
ja schon geschlagen.

Der Übergang zu Kap. 2

Da ist noch ein Gespräch zu führen mit jemand, der auch Adam ist, es aber nicht
wahrhaben will. Er soll auch gerettet werden. Er aber glaubt, er bedürfe keiner
Rettung, er sei schon gerettet. Das habe er sogar schriftlich. Diesen seinen neuen
Gesprächspartner, den Juden, will Paulus nicht etwa einladen, er möge sich
doch freiwillig anschließen, er möge sich in die Gruppe derer einreihen, über
die soeben berichtet wurde. Das war ja die bisherige Meinung. Man setzte ein
Pluszeichen zwischen die beiden Kapitel, als solle eine Addition vollzogen werden. In Wirklichkeit steht ein Integralzeichen vor beiden Kapiteln. Die Überschrift über beide Kapitel wird heißen: *Juden mit den Heiden im gleichen Unheil.*

Wir sind so leicht in das zweite Kapitel hineingekommen, wie noch niemand zuvor. Darum wollen wir, ehe wir weitergehen, in einem Stück Auslegungsgeschichte von den Mühen derjenigen Ausleger erzählen, die hier bisher immer eine Gegenüberstellung von Heiden und Juden gesehen haben. Die Rückschau wird nützlich sein, auch wenn wir diese Meinung nun nicht mehr teilen und durch unsere neue Sicht aller Schwierigkeiten ledig geworden sind.

Man hatte es gleich mit zwei schweren Brocken zu tun. Der eine lag im letzten Vers von Kapitel 1. Da hat man sich daran gestoßen, daß Paulus nach der langen Aufzählung von vermeintlich leichten, mittleren und schweren Vergehen – man meinte ja, hier liege ein ungeordnetes Gemisch vor – so pauschal von der Todesstrafe rede. In der langen Liste von Normabweichungen kämen doch sogar Verhaltensweisen vor, die niemals ein Richter zu Gesicht bekomme, weil sie sich nur im Innern des Gemüts abspielen. Mit kaum verhohlenem Unmut wurde der Apostel getadelt, wieder einmal habe er seinem Temperament die Zügel schiessen lassen. Dagegen sind dann gleich andere Ausleger als Advokaten aufgetreten und haben zu bedenken gegeben, Paulus habe hier nicht an irdische Gerichte gedacht. Er habe das Endgericht vor Augen. Käsemann hat recht, wenn er sagt, daß Paulus nicht darüber nachzudenken brauche, was nach heidnischem oder jüdischem Recht aus seinem Katalog wirklich todeswürdig ist und ebenso wenig auf das Endgericht schaue, das die Todesstrafe vollziehen soll (47). Nur wäre diese Auskunft noch weit besser begründet, wenn er sie nicht als *Conclusio* vortrüge, sondern aus Gen. 3 ableiten würde. Wir haben ja gesehen, wie intensiv sich Paulus mit diesem Kapitel beschäftigt. Von daher fällt Licht auch auf diesen Vers. Eva weiß um das angedrohte Todesurteil. Sie bringt es sich selbst im Dialog mit der Schlange in Erinnerung und begeht dennoch die verbotene Tat.

Die Erinnerung an diesen Text bringt uns für das Verständnis unseres Verses noch einen Schritt weiter, denn die Tat Evas ist nicht nur Ungehorsam gegen Gottes Geheiß, sie separiert sie auch von ihrem Gefährten. Die sich dadurch ereignende Vereinzelung enthüllt sich ihr sogleich als Isolation in der Schuld. Sie bedarf des Schicksalsgefährten. So überredet sie Adam zur Mittäterschaft. Indem er einwilligt, billigt er – das Todesurteil selber noch besser wissend, da Eva es erst durch ihn erfahren hat – ihre Tat und begeht sie nun auch selbst. Schon dies Einwilligen könnte συνευδοκεῖν heißen, denn dieses Wort ist in der Bedeutung von zustimmen, eine Sache gutheißen, einen Vertrag schließen gebräuchlich[23]. Umgekehrt könnte Eva auch als Subjekt des συνευδοϰεῖν gedacht werden – Paulus redet ja ohnehin pluralisch – dann hieße es Beifall klatschen mit einem Frohlocken darüber, daß sie nun nicht mehr allein ist. Sie wähnt, die Gemeinschaft von ehedem sei wiederhergestellt. Bald genug wird sie merken, wie sehr sie sich darin irrt. Die Komplizenschaft ist wenig verläßlich. Blickt das richterliche Auge auf sie beide, werden sie über die Schuld, die sie doch beide auf sich geladen haben, befragt, so wird Adam sich sofort verteidigen. Er wirft die Anklage von sich weg (Apo-logie) und wirft sie auf Eva (Kat-egorie). Er wirft sich zum Richter auf, ohne doch das geringste moralische Recht dazu zu haben. Damit haben wir den Typus dessen vor Augen, dem wir gleich zu Anfang im 2. Kapitel begegnen werden. Mit dem Typ allein aber wäre nicht weiterzukommen, wenn er nicht in der ihm zugehörigen Situation stände. Das war so lange nicht der Fall, als man meinte, Kapitel 1 rede von Heiden und Kapitel 2 von Juden. Man stieß dann auf einen Widerspruch. Man mußte meinen, Paulus habe den Unsinn gesagt, »weil Heiden schuldig sind, darum bist du Jude, wenn du unter Hinweis auf die dir bekannten Dekalogtafeln tadelnd mit dem Finger auf sie zeigst und erklärst, jene Heiden täten, was sich nicht gehört, unentschuldbar.« Das διό wurde als eine unübersteigbare Eskaladierwand angesehen.

Für die Lösung des Problems boten sich grundsätzlich zwei Möglichkeiten an: Entweder man baute das Hindernis ab, oder man hob die Ebenen zu beiden Seiten auf das gleiche Niveau. Beide Möglichkeiten sind versucht worden. Zahn hat das διό für sakrosankt gehalten. (104) Darum mußte er es mit der Niveauplanierung versuchen. Er folgerte, die in Kapitel 2 Getadelten müssen im Kreis der Schuldigen von Kapitel 1 anzutreffen sein. Da in 2,17 die Adresse der Getadelten angegeben ist, müssen zwangsläufig in Kapitel 1 Juden mit eingeschlossen sein. Bei diesem Satz frohlockte ich in der Erwartung, nun wenigstens einen Bundesgenossen zu haben für meine Auffassung, Kapitel 1 rede eben nicht exklusiv von Heiden, sondern pauschal von der adamitischen Menschheit. Aber meine Freude war verfrüht. Zahn läßt diese Pauschalbetrachtung nicht zu. Es gibt Böse und Gute. Paulus meint nur die Bösen. Nicht nur unter Heiden sind Böse, sondern auch unter Juden. Und wenn die in Kapitel 1 mit besonderer Drastik vorgeführten Laster typisch heidnisch aussehen – Israel hatte strenge Verbote bezüglich sexueller Orgien – dann muß Zahn sich nun bemühen, nachzuweisen, daß gerade in dieser Hinsicht bei den Juden auch nicht alles sauber war. Er findet ein paar Belege, die das bestätigen. Wird aber eine Seite belastet, dann muß auch die andere Seite bedacht werden, möglicherweise muß ein Lasten-

---

[23] Th. Dächsel, Paulus II, S. 55.

ausgleich vollzogen werden. Zahn hat die Vorstellung, Paulus führe den Laster-katalog in das 2. Kapitel hinein fort. Er wolle mit der Kritiksucht, der das mora-lische Recht fehle, – es gebe doch durchaus auch die rechtens ausgeführte Richter-funktion – seiner bisherigen Aufzählung noch eine ganz besondere Gemeinheit hinzufügen. Die aber, das festzustellen verlange die Gerechtigkeit, sei nun kei-neswegs eine typisch jüdische Wesensart. Die sei auch bei Heiden anzutreffen. Die Ebenen sind ausgeglichen, das διό kann stehen bleiben. Der Übergang ist gelungen.

Seiner Auffassung kommt die Schlattersche lediglich in einem Punkt nahe (73 ff). Schlatter weiß, glaubt zu wissen, daß Kapitel 1 von Heiden handelt. Er weiß auch um die Schwierigkeit des διό. Es liegt ihm fern, ein Wort aufzuweichen. Er will das διό in seiner Härte beibehalten. Er rüstet sich rechtzeitig auf den Augen-blick, da er hinüber muß. Darum vermeidet er in vorbedachter Absicht die Über-schrift ›Heiden – Juden‹. Er sagt beidemal der ›Mensch‹. Schon das bindet beide Seiten zusammen. Aus dem Kontext fügt er dann für die linke Seite, attributiv gedacht, das Stichwort ›Zorn‹ ein und verfährt in derselben Weise auf der rech-ten Seite mit dem Worte ›Gericht‹. Planierungsarbeit macht er nur auf einer Seite. Was Zahn über die berechtigte und unberechtigte Ausübung von Gericht sagt, ist auch seine Meinung. Darum lädt er Heiden ein, in den Anfang des Kapitels 2 einzutreten. Nicht gar zu viele freilich. Sie dürfen nicht die Mehr-heit kriegen. Sonst geht die Identität der Anrede 2,1 und 2,17 verloren. Die aber muß auf alle Fälle erhalten bleiben, denn der Abschnitt gibt ja Auskunft über die Gefechtsbereitstellung des Apostels zum Direktangriff von V. 17ff. Der Preis, den Schlatter zahlt, ist relativ gering. Die Identität des Du von V. 1 und V. 17 ist zwar leicht angeschlagen, aber nicht dahin.

Andere Ausleger haben sich des διό bemächtigt. Lietzmann (37) zieht im An-gebot anderer Möglichkeiten in Erwägung, διό könne bloße Übergangspartikel sein. Die meisten Ausleger nehmen diese Auskunft willig an und halten sie für bare Münze. Michel so sehr, daß man meinen könnte, Paulus habe das διό über-haupt nicht gesagt. Er behauptet, Paulus beginne mit Kapitel 2 einen neuen Ab-schnitt, der mit den vorangehenden nicht verbunden sei. (63)

Die eleganteste Lösung hat Bultmann vorgetragen.[24] Er sagt, einem frühen Ab-schreiber habe der Ausdruck ἀναπολόγητος 1,20 so gut gefallen, daß er ihn ge-rechtigkeitshalber gern noch einmal auch auf der anderen Seite gesehen hätte. Warum soll solch ein hartes Urteil nur der einen Gruppe zuteil werden und nicht auch gleich der anderen, wenn beide doch als Schuldige alsbald in einen

---

[24] R. Bultmann, Glossen im Römerbrief, in: Th LZ 72 (1947), Sp. 200.

Topf geworfen werden sollen? Bultmann läßt also das διό unbeachtet, denn er demontiert gleich den ganzen ersten Satz, in dem es vorkommt. Er sagt, der habe früher einmal dort nicht gestanden. Jener nachdenkliche Abschreiber habe ihn als Kommentar zu V. 3 an den Rand geschrieben. Später habe dann ein anderer diesen so verbesserten Text noch einmal abgeschrieben, dabei aber mißverstanden daß die Randglosse ein Kommentar sein solle. Er habe gemeint, dieser Satz gehöre in den laufenden Text. Und darum habe er ihn dann vornan gestellt. So sei das Kapitel 2 zu seinem ersten Vers gekommen. Paulus ist von mangelnder Logik freigesprochen. Die obersten Latten der Hürde sind abgenommen. Das Hindernis ist beseitigt. Käsemann leistet Bultmann Gefolgschaft (50) nicht ganz frohen Herzens, er hätte das ἀναπολόγητος gern für Paulus gerettet.

Nun wird dieses ganze mühevolle Abenteuer als überflüssig erwiesen. Eine Eskaladierwand war niemals da. Der Text kann stehen bleiben, wie er steht. Auch das ἀναπολόγητος ist gerettet. Der Satz sagt, ohne daß an ihm irgend etwas zu verändern wäre, genau das, was Paulus mit ihm hat sagen wollen. Es geht darum, daß dem Juden gezeigt werden soll, er dürfe sich nicht aus dem Urteil ausklammern, das über die gesamte Menschheit offenbar geworden ist.

Nicht Haben, sondern Halten des Gesetzes ist gefordert

Es geht darum, dem Juden klar zu machen, daß der Nomos-Besitz allein ihn nicht aus der adamitischen Situation rettet. Nicht auf das Haben, sondern auf das Halten der Gebote kommt es an. Und unter diesem Gesichtspunkt betrachtet, würde ein Vergleich zwischen Juden und Heiden keineswegs so ausfallen, daß die einen nur im Licht und die andern nur im Dunkel sind. Immer wieder einmal kommen hervorragende sittliche Leistungen unter Heiden vor. Das beweist doch, daß sie im Abwägen von Gut und Böse durchaus auch das Richtige treffen können.

Sie müssen dann doch wohl irgendeine Fähigkeit haben, zu unterscheiden, zu verwerfen, zu wählen und ins Ziel zu treffen. Theonome und autonome Ethik können punktuell übereinstimmen.[25]

---

[25] Paulus denkt hoch von sittlichem Wohlverhalten und lobt es, wann und wo immer es geschieht. Doch begründet er keine autonome Ethik. Sittliches Wohlverhalten von Heiden dient ihm hier ausschließlich als Beschämungsfolie.

Ein eklatantes Beispiel sei aus der Bibel dafür genannt. Ich bringe es vor, weil es mir beim Studium des Propheten Habakuk vor Augen kam. Diese Wahl hat damit den Vorzug, in der Nähe des Paulus zu bleiben, der wie wir gesehen haben, ja auch den ganzen Propheten kommemoriert hat. Die Gerichtsdarstellung des Habakuk ist außerordentlich bildreich. Sein Buch hat mit Einschluß des Psalms in Kapitel 3, von dem man denkt, er könne einmal selbständig gewesen sein[26], eine ungewöhnliche Fülle von Anspielungen an den Zyklus der Sintfluterzählung, deren einige sogar noch ursprünglichere Farbe haben als die Geneerzählung. Unter diesen Anspielungen findet sich auch die, daß eines Trunkenen Blöße aufgedeckt wird, eine zweite Anspielung an diesen Zug der Noaherzählung habe ich sonst in der Bibel nicht gefunden. Wohl aber bei Michelangelo[27], der seinen berühmten Schöpfungszyklus in der Sixtina mit der Darstellung dieser Szene beendet. Der Skopus der Erzählung (1. Mose 9, 11–27) ist: Die in Adam geschaffene, in Noah erhaltene Menschheit befindet sich im Augenblick ihrer heils- unheilsgeschichtlichen Distribution. Sem mit dem bedeutsamen Namen, der nichts anderes als ›Name‹ heißt, der Stammvater der Abrahamslinie, ist der Typus derer, die die Offenbarung des Gesetzes empfangen werden, der Prototyp des *Nomisten*.

Japhet ist der Prototyp derer, die das Gesetz nicht haben werden, jedoch im Abwägen dessen, was das in der gegebenen Situation Gebotene ist, in eigener Entscheidung das Gute erkennen und tun. Er ist der Autonomist. Sem und Japhet vollziehen gemeinsam das Gute. Das geschändete Menschenbild ehrend, ehren sie sich selbst. *Nomist und Autonomist* sind *in Kooperation*.

Ihnen steht Ham gegenüber. Er will von keinem Gesetz etwas wissen. Er ist der *Antinomist*. Er veröffentlich das Schandbild und schändet dadurch mit voller Absicht sich selbst. Die Freude an der Blöße des Trunkenen macht ihn selbst nackt.

---

[26] Vgl. K. Elliger, aaO S. 51.
[27] Das ist darum bemerkenswert, weil Michelangelo den Skopus dieser Erzählung genau trifft, wie allein schon die Bildanordnung beweist – im Unterschied etwa zu Gunkel (Genesis, 1922), der sich damit begnügt, nach einem historischen Augenblick zu fragen, in dem Israel im Bündnis mit einem Japhetvolk Hamiten unter Tributpflicht gehalten habe.

Die Auseinandersetzung

Paulus setzt seinen Dialog mit den Juden fort. Oder ist es gar kein richtiger Dialog? So wenig Paulus in Kapitel 1 Heiden ansprach, hat er nun Juden vor sich. Auch dieses Kapitel schrieb er in dem Brief, der an die Christen zu Rom geht. Das Du der direkten Anrede, die ganze Art des Streitgespräches, ist literarische Form. So wie im Ich von Röm. 7 und anderswo der Apostel zwar nicht biographisch, immer aber exemplarisch mit vorkommt, ist er auch in diesem Du enthalten. Er rekapituliert seine eigene, durch sein Christwerden nötig gewordene Auseinandersetzung mit seinem früheren Verständnis vom Gesetz und lädt seine Adressaten dazu ein, mit ihm in diese Auseinandersetzung einzutreten. Dabei wehrt er immer gleich mögliche Mißverständnisse ab. Und denkbare, erwartbare Gegenargumente fängt er vorab auf, um direkt zur Sache zu kommen. Indem wir uns die Gruppe der drei Noah-Söhne vor Augen halten, gewinnen wir eine Möglichkeit, die Argumentation abzukürzen. Paulus sagt, du bist stolz darauf, der Nomist zu sein. Ich kann dir aber beweisen, daß du eigentlich Ham bist, der Antinomist. Du wärest der, der du zu sein vorgibst, würdest du das Gebot halten. Da du das aber nicht tust, bist du gar nicht der, der du zu sein vorgibst. Es kommt doch nicht auf das Haben, sondern auf das Halten der Gebote an. Und unter diesem Gesichtspunkt gibt es Leute, die dir weit überlegen sind. Ihnen war es zwar nicht so leicht gemacht wie dir, der du durch einen unerhörten Vorzug immer hast wissen dürfen, was gut und böse ist. Sie haben das Gute getan ohne dein Wissen zu haben, während du es daran hast fehlen lassen. An wem wird Gott denn nun sein Wohlgefallen haben? Du solltest doch für die andern da sein. Dein siebenarmiger Leuchter hat doch sieben Leuchten, damit es auch für die andern alle sieben Tage nicht ganz dunkel werde in der Welt. Zwar bist du als ein Lehrer aufgetreten. Aber du hast immer bloß Worte gemacht. Was man an dir sehen konnte, war für die andern eher ein Hindernis als eine Hilfe. Direkte Übertretungen der Gebote sind dir vorzuwerfen. Du deklamierst: »Du sollst nicht stehlen«. Selber stiehlst du aber. Du sagtest: »Du sollst nicht ehebrechen!« Du tust es aber selbst. Dir greuelt vor Götzenbildern, aber du stiehlst sie dir.

Wie sollte sich irgendeine beliebige Gruppe von Menschen gefallen lassen, daß einer sie mit solchen Vorwürfen bewirft. Macht Paulus es nicht sehr töricht, wenn er ein ganzes Volk so pauschal herabsetzt, weil es da möglicherweise ein paar Spitzbuben und andere Übeltäter gibt?

Der Apostel meint es anders. Er denkt wirklich an Gestalten, durch die Israel repräsentiert ist. Auch die Auswahl der Delikte ist nicht beliebig. Die Auswahl hat Tradition. Käsemann weist darauf hin, daß sie genau so auch bei Philo und möglicherweise noch anderen vorkommt (66). Doch meinen wir hier mit Tradition mehr.

Die Anklagen »entsprechen« den drei παρέδωκεν

Wir sind wieder einmal bei der berühmten Dreiheit, auf die wir nun schon zu wiederholten Malen gestoßen sind. Wieder geht es hier um die Mensch-Ding-Beziehung, Mensch-Mensch-Beziehung und Mensch-Gott-Beziehung. Ein Blick zurück auf die drei παρέδωκεν von Kapitel 1 zeigt, daß Paulus in seiner Argumentation darauf zielt, zu sagen, genau da, in diesen drei über die adamitische Menschheit ergangenen παρέδωκεν ist auch dein Platz. Du bist durch deinen Nomos-Besitz nicht davon ausgenommen, sondern darin einbezogen.

Israels Repräsentanten: Saul, David, Salomo

Paulus rekapituliert hier die Großgeschichte Israels. Wird darin nicht vom *König Saul* erzählt, er habe gebanntes Gut, Schätze also, die ihm vorenthalten bleiben sollten, habgierig in seinen Besitz gebracht (1. Sam. 15)? Und war es nicht der *König David,* der einem anderen die Frau wegnahm und den rechtmäßigen Gatten, weil er dessen Rache fürchten mußte, auf eine arglistige Weise beseitigen ließ? (2. Sam. 11) Und steht nicht gerade in dieser Geschichte der Prophet Nathan auf, (2. Sam 12) dem König die Schuld vorzuwerfen, etwas ängstlich zuerst, in eine Beispielgeschichte verfremdet, die einen Unrechtsfall vorbringt, der sich im Ausmaß nicht mit dem vergleichen läßt, was der König selbst getan hat? Kommt nicht David bei Anhörung dieses, wie er meint, in seine richterliche Zuständigkeit fallenden Skandals in den gerechten Zorn, daß er sofort das auf Tod lautende Urteil spricht und seine unverzügliche Vollstreckung befiehlt? Und jetzt reckt Nathan seinen Zeigefinger aus und bezichtigt den Übeltäter: »Du bist der Mann!« Dürfte nicht für wahrscheinlich gehalten werden, daß Paulus für die Zuspitzung seiner Aussage in das Du der direkten Anrede, gerade von dieser Perikope angeregt worden ist? Dürfte nicht gerade diese Perikope ihm die Formulierung nahegelegt haben: »Worin du einen andern richtest, verdammst du dich selbst« (2,1).

Paulus verändert die Reihenfolge der Sachgebiete gegenüber derjenigen von Kapitel 1. Die Reihenfolge von Kapitel 1 war zwingend, weil sie aus Gen. 3 stammte. Diese Reihenfolge aber wäre, wie die Dinge nun laufen, für das Kapitel 2 unbrauchbar. Um Israel dingfest zu machen, macht Paulus einen chronologischen Weg durch die Großgeschichte seines Volkes. Deine Koryphäen, Israel, sie repräsentieren deinen Schuldplatz in der adamitischen Menschheit. Aber wir sind ja noch nicht fertig mit der Aufzählung. Mit Absicht haben wir sie unterbrochen, denn das, was Paulus nun zum Vorwurf erhebt, ist nicht auf Anhieb unterzubringen, selbst wenn man schon weiß, wohin der Weg geht. Nun kommen wir ja am *König Salomo* nicht mehr vorbei. Aber wann und wo hätte der Tempelraub begangen? Wir wissen von seinem Tempelbau. Aber von diesem Tempel ist hier ja wohl nicht die Rede. Die Ausleger – die von uns hier vorgeschlagene Deutung wurde bisher niemals erwogen – standen hier auch unabhängig von Salomo vor einer Schwierigkeit. Das erste Gebot war Israel so eingeprägt, daß es denn doch mit Fleiß auf kultische Reinheit hielt. Mit dem Erwerb und Verkauf von Götzenbildern mochte es sich nicht befassen. In den Kommentaren taucht, von Generation zu Generation weitergereicht, hier der Typ eines jüdischen Antiquitätenhändlers aus der Antike auf, der zwar für sich persönlich alle von ihm geforderten Reinigkeitsvorschriften beachtet habe, hinter dem Rücken aber in Geschäfte mit kultischem Hehlergut heidnischer Provenienz verwickelt gewesen sei. Man hat ein paar Andeutungen aus der rabbinischen Diskussion so gedeutet, als könne man diesen Typ verifizieren. Wirklich nachgewiesen wurde er nie. Die mehrfach angeführte Stelle Acta 19,37 beweist gar nichts. Sie sagt nur, daß die Apostel keine Tempelräuber seien. Somit hat es Tempelräuber gegeben. Aber daß unter ihnen Juden waren, geht aus der Stelle nicht hervor. Kehren wir zu Salomo zurück! Jedoch mit einem kurzen Rückgang in die Vorgeschichte. Es gibt in der Ahnengalerie einen Präzedenzfall. Gen. 30, 31 beschuldigt Laban Jakob: »Warum hast du mir meinen Gott gestohlen«? Jakob selber hat das nicht getan. Rahel hat die Ikone des Hausgottes an sich genommen und unter ihrem Kamelsattel versteckt. Listig behält sie den Raub im Versteck und schmuggelt ihn durch die Kontrolle. Jakob sollte Rahel in den Raum seines Glaubens führen. Hier geschieht, daß der Fremdglaube in sein Haus einzieht. Die Erzählung sagt nichts davon, inwiefern Jakob Mitwisser war. Aber Salomo, um Zwischenglieder und spätere Beispiele auszulassen, erlaubt den Frauen seines Harems, die Fremdgötter aus Ägypten, Moab, Ammon, Edom, Sidon und aus dem Hethiterlande mitzubringen und zu verehren. Sie tun es nicht ohne sein Wissen. Ja, er selbst wird bezichtigt, daß er sich zum Götzendienst habe verführen lassen. »Seine Frauen neigten sein Herz fremden Göttern zu, so daß sein Herz nicht ungeteilt bei dem Herrn, seinem Gott war«. (1. Kön. 11). Der Sohn Davids, Salomo, der, das Personalsuffix in seinem Namen sagt es, nicht seinen eigenen, sondern Gottes Frieden ausstrahlen soll, er, der die Krone trägt, die Gottes Königtum repräsentieren soll, neigt sich anbetend vor Milkom und Moloch, »dem greulichen Götzen der Ammoniter«. In beiden Götzennamen steckt der Königstitel Melech. Durch Schandvokalisation, Übertragung der Vokale aus dem Worte boschet wurde Molek, Moloch daraus, Name des kinderfressenden Greuels. Israels König sinkt vor ihm nieder zur Proskynese. Mit seinem κατακυριεύειν ist es vorbei. Eine Weile noch darf er auf dem Throne bleiben, um der seinem Vater gegebenen Verheißung willen. Alles sieht aus, wie es ehedem war und ist doch leer, hohl geworden.

An Israels Repräsentanten wird ersichtlich, Israel ist mit in Adams dreifacher Verfluchung.

Das Zitatenbündel 3,11–18

Wir haben keinen Kommentar versprochen. Wir wollten nur ein Kompositionsschema, einen Architekturplan zeigen. Entgegenstehende Auslegungstradition erschwerte die Sicht. Sie machte die Einlösung der erklärten Absicht mühevoll. Jetzt können wir zügiger vorangehen und gelangen an das Ende des 3. Kapitels und damit zum Abschluß des ersten Hauptteils des Römerbriefes. Paulus pflegt solche Abschlüsse durch hervorgehobene Sätze zu markieren. Hier tut er es mit einer Komposition aus biblischen Schriftstellen. Die meisten von ihnen stammen aus dem Psalter, wohl deshalb, weil dieses Buch vom gottesdienstlichen Gebrauche her das bekannteste war. Auch die römischen Christen werden es in ihrem Gottesdienst gebraucht haben.

Wir hatten uns vorgenommen, darauf zu achten, ob Paulus auf die uns bei der Deutung der α-Privativa-Gruppe des Lasterkatalogs aus dem Hintergrund der ersten Dekalogtafel erkennbar gewordenen Hauptbegriffe im Verlaufe des Briefes zurückkommen werde[28].

Wir fanden, daß sie mitwirksam waren bei der Sinngliederung der παρέδωκεν-Sätze. Nun entdecken wir, daß das Zitatenbündel ebenfalls nach dem Kompositionsschema der α - Privativa – und damit nach dem Dekalog, der ihnen ja zugrunde liegt – aufgebaut ist, und zwar so exakt, als hätte Paulus eine Sachkonkordanz dazu benutzt:

»Da ist keiner, der gerecht sei, auch nicht einer«. Das ist die Überschrift. Sie greift auf den δίκαιος (1,17) zurück. Und nun folgt die Reihe:

1. »Da ist keiner, der verständig sei; da ist keiner, der nach Gott frage«. In diesem Satz kehrt das ›unvernünftig‹ (1,31) wieder, ἀσύνετος.

2. »Sie sind alle abgewichen und allesamt untüchtig geworden, da ist keiner, der

[28] Vgl. S. 21.

Gutes tue, auch nicht einer«. Dieser Satz entspricht dem ›treulos‹, unbeständig, ἀσύνθετος.

3. »Ihr Schlund ist ein offenes Grab, mit ihren Zungen handeln sie trüglich. Otterngift ist unter ihren Lippen, ihr Mund ist voll Fluchens und Bitterkeit«. Im Lasterkatalog folgt das Wort »lieblos«, ἄστοργος. Wir haben es als die Bezeichnung für das zerstörte Ich-Du Verhältnis erkannt und bei der Erörterung des Dekalogbezuges für diesen Begriff ausführlich darüber gesprochen, daß das »gute Wort« Gemeinschaft begründet und erhält.

Paulus hat hier aus mehreren Psalmen Verse und Versteile zusammengestellt, deren Gemeinsamkeit darin besteht, daß sie alle von böser Verwendung der Sprachorgane und von böser Rede handeln.

4. und 5. Nun fehlen noch die beiden Begriffe Friede und Gerechtigkeit, bzw. die Vokabeln, die ihre Abwesenheit aussagen. Sie müßten nun folgen, wenn unsere Annahme, Paulus befinde sich hier im Geleit der α-Privativa von 1,31, zutrifft. Und so geschieht es denn auch. Bezugnahmen zu beiden Begriffen folgen. Zuerst gibt der Satz: »Ihre Füße sind eilend, Blut zu vergießen und auf ihren Wegen ist lauter Schaden und Herzeleid« das ἀνελεήμων wieder. Wir hatten ja (S. 20) die Vermutung ausgesprochen, ἄσπονδος im Sinne von »unfriedsam« könne trotz der schlechten Textbezeugung echt sein und haben es, wenn auch mit einem Fragezeichen versehen, als vorhanden angesehen. Diese unsere Vermutung, sollte sie Geltung haben, müßte sich jetzt bewähren. Wir stellen fest, daß das der Fall ist. Paulus fand in Jes. 59,7 und 8 ein Zitat, das die Aussagen beider Begriffe in sich einfaßt, freilich in der umgekehrten Reihenfolge, wie 1,31. Paulus hat für sein Zitatenbündel die Reihenfolge von Jes. 59,7 und 8 beibehalten. Darum kommt das Äquivalent für ἀνελεήμων zuerst. Aber dann folgt: »Den Weg des Friedens finden sie nicht«. Und darin kehrt letztendlich unser ἄσπονδος wieder.

Damit können wir das Fragezeichen hinter ἄσπονδος streichen, denn hier begibt es sich, daß Paulus sich auf eben dieses Wort zurückbezieht. Er hat es also an seinem Platze wirklich geschrieben. Die Umstände, durch die es irgendwann einmal aus dem Text herausgefallen ist, werden kaum noch nachprüfbar sein. Das Wort ist aber an entlegener Stelle aufbewahrt worden und unversehrt geblieben. Wir haben die Freude, es zur Wiedereinführung in den Urtext anzubieten. Die Auskunft, es könne von 2. Tim. 3,3 hier her gewandert sein, ist ebenso irrig wie die, es habe bei dieser Einwanderung auch noch einen ungeeigneten Platz gefunden[29].

[29] O. Michel zur Stelle.

Aber zurück zum Inhalt! Deutlicher als mit einer solchen Begriffswiederholung könnte Paulus gar nicht aussprechen, daß er Juden und Heiden gleicherweise in der adamitischen Situation sieht. Das ist der Mensch, wie er im Buche steht, γέγραπται (3,10). Und damit ist Paulus mit seiner Argumentation an sein Ziel gekommen. Denn wollte ihm nun noch einer die heilige Thora als das Zertifikat seines Heilsbesitzes entgegenhalten, dem macht er kund: Schlag es nur auf, dein Buch – und lies! Dann wirst du bald genug merken, daß eben das darin steht, was ich dir gesagt habe. Es gibt keine Ausnahme, du hast dein Todesurteil in der Hand. Es gibt keine Alternative.

II.

Die Alternative, Kap. 3, 21 — Kap. 8

Es gibt doch eine Alternative. Gott hat sie gemacht und offenbart. Der Zugang zum »Gnadenstuhl« (3,25) ist frei für alle, die da glauben[30]. *Das Evangelium ist die Alternative.* Und so, wie herausgekommen ist, daß alle, Juden wie Heiden, unter dem Todesurteil sind, so kommt nun auch heraus, daß alle, Heiden wie Juden, der Alternative Gottes teilhaftig werden können. Gott ist nicht allein der Juden Gott, er ist auch der Gott der Heiden. Jetzt ist Paulus bei seinem eigentlichen Thema (1,17). Das γάρ der Zornesapokalypse wurde zur Sprache gebracht, jetzt kommt das γάρ der Offenbarung der Gerechtigkeit ins Wort.

Wir stehen vor einer Überraschung: Wir werden zu einer gegenüber früheren Auslegungen neuen Sicht des Aufbaues des zweiten großen Hauptteiles Kapitel 3,21 bis 8 kommen. Dazu müssen wir aber wieder ein Stück Auslegungsgeschichte rekapitulieren, um den Anschluß an die bisherige Forschung nicht zu verlieren.

---

[30] Bedauerlicherweise haben sowohl der revidierte Luthertext als auch die neue katholisch-evangelische Einheitsübersetzung den Ausdruck »Gnadenstuhl« in Röm. 3,25 und seinen Parallelstellen getilgt. Luther hatte in Anlehnung an Hebr. 4,16 und unter Rückbezug auf Lev. 16,12–15 diese Wortschöpfung als Übersetzung von ἱλαστήριον ins Deutsche eingeführt. Der bahnbrechende katholische Kunstgelehrte Franz Xaver Kraus hatte diesen Begriff dann in der Kunstgeschichte heimisch gemacht. Seither heißen all die ungezählten Bilddarstellungen, in denen die Gottvater-Gestalt den Gekreuzigten in den Händen hält – gleichsam das Kreuzesopfer annehmend und es der Welt zu ihrem Heil zurückreichend – Gnadenstuhl. Die modernen Bibelübersetzer haben nun die Ankertaue zur ikonographischen Rückverbindung dieser Bildwerke an den Bibeltext gekappt. Darf man so aus einer Erbengemeinschaft austreten?

Schlatters Kommentar, Gottes Gerechtigkeit, 1935, bedeutete einen großen Schritt nach vorn in der Paulusforschung. Vergleicht man den Kommentar von Karl Barth mit dem von Schlatter, so könnte man sagen, Barths Römerbrief war wie eine Eruption, eine gewaltige, aufrüttelnde Predigt. Schon wenige Zeit später hätte Barth sie nicht genauso wiederholen können. Er hat es auch nicht getan. Die zweite Auflage war, wie er selbst sagt, »ein völlig neues Buch« geworden[31]. Schlatters Kommentar hatte stille, zähe Langzeitwirkung. Er ist noch immer aktuell. Schlatter mußte sich von einer Auslegungstradition lösen, die die Rechtfertigungsbotschaft in eine Lehre und damit zugleich den sie annehmenden Glauben in eine Art ›Werk‹ verwandelt hatte. Zum andern war der Glaube verinnerlicht worden. Er begnügte sich mit der Tröstung des wunden Gewissens und verlor die Welt aus dem Blick. Ein Quietismus in der Frömmigkeit war die Folge, ein vom Glauben bewegtes Handeln in Kirche und Welt fiel aus, um die Welt ihrer Eigengesetzlichkeit zu überlassen.

Schlatter stellt fest, ein so gearteter Protestantismus verliert sein Interesse am Römerbrief, wenn er bis an die Stelle gekommen sei: »nun haben wir Frieden mit Gott« (5,1). Die Anfangskapitel sind uninteressant geworden, weil sie Vergangenheit sind. Das Schicksal Israels (9–11) liegt ihm ohnehin nicht nahe. Und daß Paulus so viel von Taten spricht, ist eher verwunderlich als verständlich, wenn er doch selber verkündigt, daß man durch den Glauben und nicht durch die Werke selig werde. Schlatter hat für all das eben Aufgezählte den Namen Luther ins Spiel gebracht und alle Rohre auf ihn gerichtet. Trillhaas sagt in seinen Memoiren, das Buch sei aus einem »Affekt gegen Luther« geschrieben[32]. Schlatter hätte vielleicht besser gar keinen Namen genannt, denn historisch gesehen, wären viele andere Namen aus Luther folgenden Zeitaltern zu nennen gewesen, Luther zu allerletzt. So war denn auch die erste Wirkung des Buches, daß Verteidiger Luthers auftraten, beispielsweise Althaus und Ellwein. Schlatter ging es mehr um das Ja-Wort, um den ganzen Paulus. Der damit gegebene

---

[31] ...was, wie W. Trillhaas, Aufgehobene Vergangenheit, S. 68, mitteilt, den Philosophen Pfänder zu der Bemerkung veranlaßt hat: »Dann ist das doch kein echter Kommentar.« In der Tat ist K. Barths Arbeit am Römerbrief heute bedeutsame Dokumentation für den Werdegang der Barthschen Theologie, Station auf dem Wege »how his mind has changed«. Schlatter leitet dagegen die kritische Frage an die Theologiegeschichte ein, ob Paulus in ihr wirklich Paulus geblieben sei.

[32] Ich kann diese Meinung nicht teilen. Wohl aber wäre Schlatter zu fragen, ob er sich nicht zu ausschließlich auf Luthers Römerbriefvorlesung von 1515/16 bezogen und deren Platz in der Morgenfrühe der Reformation verkannt habe.

Anstoß kam erst langsam zur Wirkung. Otto Etzold war mit seinem Buch ›Gehorsam des Glaubens‹ einer der ersten, der Schlatters Gedanken aufgriff und in die Gemeinde trug. Eine deutliche Nachwirkung Schlatters ist in Käsemanns Formel *iustificatio impiorum* zu erkennen. Alle Mängel, die eine Fehlinterpretation der reformatorischen Formel: »Rechtfertigung des Sünders vor Gott« ermöglichen könnte, sind in dieser neuen Formel abgefangen. Sie selbst aber ist nicht gefeit gegen Klimaeinwirkungen aus dem Raum der neuen Selbstrechtfertigung, die den Atheismus als intellektuelle Vorleistung fordert. Durch Umpolung, das ist bei Genetivkonstruktionen immer leicht, könnte diese Formel von Ernst Bloch unverändert übernommen werden.

In besonderer Weise nahm A. Nygren Schlatters Anliegen auf. Er nahm sich vor, mit dem Nachweis der Ganzheit und Zusammengehörigkeit des Römerbriefes noch über Schlatter hinauszugehen. Er wollte die systematische Geschlossenheit des Briefes aufzeigen. Das versuchte er anhand der Lehre von den beiden Aionen, genauer von der in ihr Schema eingezeichneten Adam-Christus-Typologie. Nun erweist sich das Aionen-Schema nicht als geeignet zum Interpretationsschlüssel. Paulus kommt im ganzen Brief für seine Argumentation ohne den Begriff Aion aus. Nur zweimal kommt das Wort vor: In der Doxologie (1,25) und spricht dort gerade nicht von einem Aionenwechsel, sondern von Gottes Ewigkeit. Das zweite Mal in Röm. 12,2 und besagt dort, daß der alte Aion für die Christen als Versuchlichkeit immer noch da ist. Recht aber hatte Nygren mit dem Empfinden, es müsse vor Eintritt in den Gedankengang des Briefes über Adam gesprochen werden. So zog er das Kapitel 5 nach vorn, besprach es zuerst um so die Voraussetzung dafür zu schaffen, daß Paulus sich selbst auslege. Nach dem Ergebnis unserer Arbeit, daß Adam in Kapitel 1 steckt, ist am Tage, daß Paulus ebenso gedacht hat wie Nygren. Wäre Nygren nicht der Tradition verhaftet gewesen, in Röm. 1 die Heiden zu sehen, dann wäre die Voranstellung des Kapitels 5 überflüssig gewesen. Der hier in unserer Arbeit vollzogene Rückgang auf Adam wollte bewußt nicht von einer Lehre ausgehen. Er wollte auch auf eine Bemühung des beliebten Mythos vom Urmenschen verzichten, in der Meinung, auch Paulus würde, falls er ihm je begegnet wäre, von ihm gesagt haben, »den kenne ich nun nicht mehr«. Unsere Absicht war, den Universalismus des Heiles unmittelbar aus der Damaskus-Stunde und der durch sie ausgelösten neuen Sicht der Bibel abzuleiten.

Nygren kommt von seiner »Lehr«-voraussetzung aus zu einer Gliederung des Briefes, indem er den Abschnitt 3,21–4,25 dem δίκαιος ἐκ πίστεως zuweist. Mit 5,1 läßt er die bis 8,39 reichende Explikation des ζήσεται beginnen.

Etwa gleichzeitig mit dem Erscheinen von Nygrens Kommentar legt Ernst Fuchs die Studie ›Freiheit des Glaubens‹ vor. Auch Fuchs hat die Absicht, die Einheitlichkeit der Kapitel 4–8 und womöglich nach rückwärts bis 1 nachzuweisen. Sein Ausgangspunkt ist ebenfalls der Hinweis auf die Schwierigkeit, von Kapitel 4 zu Kapitel 5 zu gelangen. Er führt Alfred de Loisy an, dem der genannte Briefübergang als gänzlich unmöglich erschienen ist und der darum den »gnostischen« Mittelkapiteln die paulinische Autorschaft abgestritten hat. Fuchs glaubt, bei der Analyse von Röm. 8 auf eine urchristliche Kerygma-Formel gestoßen zu sein, die mutmaßlich petrinisch gefärbt sei und mit der Paulus sich zur Verständlichmachung dessen, was für ihn Glaube ist, auseinandergesetzt habe. Zitatbrocken, Einzelbegriffe aus diesem Kerygma seien in dem ganzen Abschnitt 4–8 enthalten, leicht erkennbar dadurch, daß sie den Sprachfluß behinderten. Der Brief sei durch diese theologische Kontroverse motiviert.

Daß eine alte Kerygmaformel die Sprachgestalt des wohlgeformten Abschnittsbeschlusses im 8. Kapitel geprägt haben könnte, halte ich nicht für unwahrscheinlich. Daß aber der Brief durch eine theologische Kontroverse über dieses Kerygma motiviert sei, erscheint mir als zu eng gefaßt. Über die Veranlassung des Briefes aus der missionarischen Situation haben wir uns oben (S. 32) ausführlich geäußert. Der Grund für die Heranziehung der Arbeit von E. Fuchs liegt darin, daß er von seinen ganz anderen Voraussetzungen aus, bei seiner Gliederung ebenfalls die Explikation des ζήσεται mit dem Anfang des 5. Kapitels beginnen läßt.

Nygren und Fuchs füllen also den thematischen Satz ὁ δὲ δίκαιος ἐκ πίστεως ζήσεται von unterschiedlichen Positionen aus. Nygren liest von einer lehrmäßigen Voraussetzung vorwärts, Fuchs von seiner aus dem 8. Kapitel eruierten Kerygmaformel aus rückwärts. Beide berühren sich in einem nicht unwesentlichen Punkt.

Nun ergibt sich die Möglichkeit, diesen beiden Gliederungsversuchen eine dritte Lösung entgegen zu stellen, von der ich meine, sie sei nicht die meinige, sondern die von Paulus selbst vollzogene. Doch gehen wir schrittweise vor!

Dekalogische Gliederung

Es war ein richtiges Heureka-Erlebnis für mich, als ich nach der Erschließung der Skopus-Begriffe zur ersten Dekalogtafel: Wahrheit, Freiheit, Gemeinschaft, Friede, Gerechtigkeit entdeckte, daß Paulus die Mittelkapitel nach der Reihenfolge dieser Begriffe aufgebaut hat. Da sein Hauptbegriff von δίκαιος ἐκ πίστεως 1,17 her die δικαιοσύνη ist, muß er mit diesem Begriff anfangen und die Abfolge somit umkehren. Ein kleines Steinmetzzeichen, das den Dekalogbezug andeutet, hat Paulus selbst in 3,31 eingemeißelt: νόμον ἱστάνομεν.

Wir machen eine Kurzparaphrase durch den ganzen Abschnitt:

Die *Gerechtigkeit* aus Glauben ist da. Abraham steht nicht mehr als der Wächter an der Grenzbarriere des erwählten Volkes. Er steht am geöffneten Schlagbaum und lädt die Völker zur Einkehr, zum freien Eintritt in die Glaubensgerechtigkeit ein (Kap. 4).

Und der *Friede* ist mit der Gerechtigkeit zugleich da. Wir haben freien Zugang zur Gnade. Gott hat die Versöhnung durch den Tod seines Sohnes zustande gebracht. Es handelt sich nicht um einen Kompromißfrieden oder einen Gesinnungswandel Gottes, sondern um einen Frieden, für den alles, was ihn bisher verhinderte, bis auf den Grund ausgeräumt ist.

Das zeigt nicht nur der Rückgang bis auf Adam an, sondern eng damit verbunden das Verbum καταλλάσσειν[33]. Dieses Verbum ist im paulinischen Sprachgebrauch in demselben ausschließlichen Sinne für Gott ausgespart wie das bara im Alten Testament. Wenn je der Mensch Subjekt eines Satzes ist, den dieses Verb beherrscht, muß es passivisch gebraucht werden. Das καταλλάσσειν ist mit versöhnen viel zu schwach übersetzt. Man muß es dem ἀλλάσσειν und dem μεταλλάσσειν der παρέδωκεν-Sätze entgegenstellen. Gott selbst sprengt das Gefängnis, in das er mich auf Grund meiner Schuld verbannt hatte, auf. Er beendet die Feindschaft durch den Tod seines Sohnes, in dem Gottes Liebe zu mir sichtbar wird. Das Wunder geschah, als wir und obwohl wir Gottes Feinde waren. Die durch den Tod bewirkte Versöhnung, der Friedensschluß haben Gültigkeit und Dauer im Mitleben mit Christus (Kap. 5).

Das nächste Stichwort *Gemeinschaft* kommt nicht substantivisch vor. Es steckt in der großen Fülle von ἐν und συν. Nicht die Taufe ist das Thema, sondern die *Gemeinschaft*. Die Taufe ist die Begründung meiner *Gemeinschaft* mit Christus, indem und insofern sie der Zusammenfall meines Sterbens mit dem Tode und meines Lebens mit der Auferstehung Jesu Christi ist. Ich bin mit dem ὁμοίωμα des Todes Christi zusammengewachsen und begraben und nun mit dem ὁμοίωμα des Auferstandenen im Leben. Ich darf und soll meinen Tod als ein Datum ansehen, das hinter mir liegt. Ich darf und soll in Jesus Christus leben (Kap. 6,1–11). Ich bin zu neuem Dienst befreit, muß nicht mehr in der Sklaverei der Ungerechtigkeit dienen. Am Beispiel einer Ehescheidung wird meine neue *Freiheit* veranschaulicht. Nach jüdischem Recht kann zwar der Mann eine Ehe lösen. Die Frau aber bleibt so lange an die Ehe gebunden, bis ihr Mann stirbt. Dann erst dürfte sie ein neues Bündnis eingehen. Wir erwarten nun, Paulus würde dies

---

[33] Vgl. Büchsel, ThWNT I, S. 254 ff. Art. ἀλλάσσω.

Bild fortsetzen, um am Beispiel der Frau, deren Mann verstorben ist, ihre Freiheit als unsere Freiheit erläutern. Er macht es gerade anders herum. Ich bin in meiner Taufe mit Christus gestorben. Wer nun eine Forderung an mich richtet, trifft mich nicht mehr an. War mir bislang das gute Gesetz Gottes wie im Bündnis mit den Mächten des Verderbens vorgekommen, so daß ich hätte meinen müssen, Gott selbst als der Geber des Gesetzes hätte sich mit Sünde, Tod und Teufel gegen mich verschworen, so werde ich jedem, der mir jetzt noch das Gesetz als meinen Steckbrief vorhalten will, im Namen Gottes meine Identitätskarte zeigen, meinen Totenschein. Ich bin der Strafverfolgung entronnen. Wollte ich freilich bei der mir eigenen Fähigkeit, mich von mir selbst zu unterscheiden, über mich nachzudenken und über mich zu urteilen, mir aus mir selbst, einmal abgesehen vom Tode und der Auferstehung Jesu Christi, das Bewußtsein solcher Freiheit verschaffen, so müßte ich verzweifeln. Nicht nur, wenn ich mich willentlich gegen Gottes Gebot stelle, sondern auch und gerade dann, wenn ich mich an Gottes Gebot als gültigem Maßstab orientieren wollte, um das mir darin vorgehaltene Bild vom gottgewollten Menschen durch fortgesetzte Mühen der Selbstverwirklichung zu erreichen, ich würde immer wieder nur erfahren, daß ich bin wie ich bin. Ich müßte mich als der, der ich bin, umbringen können und dann doch in der Lage sein, dieses Attentat gegen mich selbst zu überleben, um als der zu leben, der ich sein möchte. Ja noch jetzt, wenn ich auch nur einen Augenblick von meinem neuen Sein in Christus absehe oder es so zu besitzen meine, daß ich es mir in der Gemeinschaft mit ihm nicht immer wieder neu zusprechen ließe, fiele ich in den Abgrund (Kap. 6,12–7,24).

Gottlob werde ich davor bewahrt! Das Bewußtsein meiner Freiheit wird nicht aus meinem Wunsch und Willen geboren. Die Gewißheit meines Heils erfahre ich nicht aus meinem eigenen Urteil. Sie wird mir von außerhalb meiner selbst, von Gott, zugesprochen. Der Heilige Geist macht mir zu eigen und gewiß, was Gott in Jesus Christus einfürallemal für mich getan hat. Ich darf wieder Abba, lieber Vater, sagen. Die geistgeschenkte Gewißheit meiner Gotteskindschaft läßt mich wieder *Wohnrecht* haben *in der Wahrheit*. Das Gericht gegen mich findet nicht mehr statt. Nicht allein ich bin für das Gesetz tot, das Gesetz selbst ist an sein τέλος gekommen. Nicht allein so, daß es als der Pädagoge zu Christus hin (Gal. 3,24), nun ich bei ihm bin, in den Ruhestand treten konnte, nein als die Kraft des κέντρον τοῦ θανάτου (1. Kor. 15, 55, 56) hat es zugestochen und statt meiner Jesus Christus getroffen. Das Todesurteil ist ein für alle Mal vollzogen. Das ist nun im Tode Jesu Christi offenkundig. Ich fand in seinem Tode Asyl. Nun gibt es keinen Steckbrief mehr gegen mich. Kein Staatsanwalt wird mich mehr verklagen. Kein Richter wird mich mehr richten. Gott ist nicht gegen mich. Gott ist für mich da. Christus, der Gestorbene und Auferstandene, ist mein Anwalt. Christus als der Gestorbene repräsentiert den Vollzug meines Todesurteils. Christus als der Auferstandene repräsentiert die Gültigkeit meines Freispruchs. Christus ist des Gesetzes Ziel und Ende. Das besagt, Christus nimmt nun den Platz des νόμος ein und gibt mir als dem mit ihm zum Mitleben seines Auferstehungslebens Zusammengewachsenen (vgl. Kap. 6) die Gebotstafeln als Weisung zum Lebensvollzug in der Gliedschaft seines Leibes zurück (Kap. 7,25–8,39).

Den ganzen Abschnitt 4–8 überschreiben wir ὁ δίκαιος ἐκ πίστεως. Wir fanden, daß er geordnet ist nach der ersten Tafel des Dekalogs. Dies also ist gegenüber den Versuchen von A. Nygren und E. Fuchs, den thematischen Satz ὁ δὲ δίκαιος ἐκ πίστεως inhaltlich gliedernd zu füllen, die von Paulus selbst vollzogene Inhaltsgliederung.

Die zu erwartende Fortsetzung mit der zweiten Dekalogtafel fügt Paulus nicht sofort an, sondern beginnt sie erst mit Kapitel 12. Es ist denkbar, ja sogar wahrscheinlich, daß er vom Ende des 8. Kapitels sogleich zu dem weitergeschritten ist, was er von Kapitel 12 an schreibt. Es ist deutlich erkennbar, daß er das ζήσεται vom Thema (1,17) fortsetzt und ebenso deutlich auch, daß die Auslegung der zweiten Tafel des Dekalogs für den Lebensvollzug der Gemeinde seine Absicht ist. Wir können also einen Bogen spannen von den Kapiteln 3,21–8,39 über die Kapitel 9–11 hinweg zu den Schlußkapiteln.

III.

Der »Einschub« (?) von Kap. 9—11

Paulus muß eine Nötigung verspürt haben, die Kapitelfolge 9–11 zwischenzuschalten. Zwei Gründe liegen dafür vor. Unsere Kurzwiedergabe von 3,21–8 hat eine *Fülle von präsentischen Heilsaussagen* gemacht. Wir *sind nun gerecht geworden*, wir haben Frieden mit Gott (5,1). Wir *sind begraben* mit Christus in den Tod, auf daß wir mit ihm *in einem neuen Leben wandeln* (6,4). Das Gesetz des in Christus lebendig machenden Geistes *hat uns frei gemacht* von dem Gesetz der Sünde und des Todes (8,2). *Der Geist gibt Zeugnis* unserem Geist, daß wir Gottes Kinder *sind* (8,16). *Nichts kann uns scheiden* von der Liebe Gottes, die in Christus Jesus *ist* (8,39).

Heil ist Gegenwart und Bevorstand

Das klingt wie Vollendung, wie Ewigkeit im Heute des siebenten Schöpfungstages, der ohne Ende ist. Aber so meint es Paulus nicht. Wenn wir im Schema der Lehre von den beiden Aionen denken wollten, müßten wir sagen, daß der neue und der alte Aion sich ineinanderschieben. Es gibt immer noch – und immer wieder – Zeit, Zeit als Erstreckung. Darin wird der Glaube durch Leid und Anfechtungen gehen. Der Glaube gewinnt dabei die Gestalt der Geduld (5,3–5) und der Hoffnung 5,4, 5; 8,18–25). Die Glaubenden harren mit der seufzenden Kreatur, als deren Erstlinge sie die Gewißheit gegenwärtigen Heils gleichsam als Vorauszahlung empfangen haben, der noch ausstehenden *Vollendung der Schöpfung. Heil ist Gegenwart und Bevorstand.* So leben sie aus ihrem Ursprung (Kap. 6) zu ihrem Ziel (Kap. 8) in steter Verbundenheit mit ihrem Herrn, der sie aus ihrer Verlorenheit in seine Herrlichkeit berufen hat. Sie leben eschatologisch.

Verheißung und Erfüllung

Noch eine andere damit verwandte Perspektive kommt hinzu. Die Diskussion mit Israel war mit Kapitel 3,20 abgerissen. Dann war Israel noch das Privileg der Abrahamskindschaft entzogen worden, so daß Abraham nunmehr als Zeuge für die Nichterwählten dastand. Danach ward Israels nicht mehr gedacht, als sei der Faden nicht nur für eine Weile fallengelassen worden, sondern für immer endgültig abgeschnitten. Was aber würde dann aus der Israel von Gott gegebenen Verheißung? Israel ist nicht vergessen. Das Gespräch über und mit Israel ist für Paulus nicht erledigt, er muß den Faden wieder aufnehmen. Eben das tut er in den Kapiteln 9–11.

Diese Kapitel sind in der Geschichte der Versuche, sie auszulegen, immer wieder als ein Exkurs angesehen worden. Wir hatten ja selbst auch den Eindruck, sie seien in einen anderen Gedankengang, der ihretwegen unterbrochen wurde, eingeschoben. Wir hoffen darauf, der Zusammenhang der Abschnitte werde uns noch klar werden. Die Kapitelgruppe 9–11 ist aufgrund einiger Textaussagen für Sonderlehren ausgebeutet worden. Aus dem Kapitel 9 hat man eine abstrakte Lehre von der doppelten Prädestination und aus Kapitel 11 als ihr Gegenteil eine ebenfalls abstrakte Lehre von der Allversöhnung hergeleitet. Beide Lehren aber machen, konsequent gedacht, das Kreuz überflüssig. Bei einem von Ewigkeit her festgelegten Numerus clausus wäre für die, die darin sein dürfen, und für die anderen, die nie hineinkommen können, immer schon alles vorab entschieden. Und für eine abstrakte Lehre von der Allversöhnung wäre das Kreuz ebenso überflüssig. Man bedürfte des Glaubens nicht, man müßte nur lange genug warten können. Daß beide Sonderlehren an der Wahrheit vorbeigehen, wird daran erkennbar, daß mitten zwischen ihnen im Kapitel 10 die Predigt vom Glauben an Gottes Gerechtigkeit steht. Da allein fällt für Juden und Heiden die Entscheidung über Heil und Unheil. Von hier aus fällt Licht auf die Aussagen der Kapitel 9 und 11. Von ihrer philosophischen Denküberwältigung befreit, werden diese Kapitel nun sagen können, was irrigerweise und in seltsamem Widerspruch zueinander wie doppelte Prädestination einerseits und wie Apokatastasis andererseits lautete. Zwei eschatologische Linien werden zum Ausgleich gebracht, die Eschatologie, die in *Erwählung* und *Verheißung* gründete und zu der *Erfüllung* eilt und die andere, die mit dem Datum *Schöpfung* beginnt und ihrer *Vollendung* zugeht. Mitten inne steht der Fels, der Eckstein, an den die Menschheit brandet. Hier kommt es zur Entscheidung, und der doppelte Ausgang ist möglich. Es gibt ein *Scheitern an Gott* und ein *Scheitern in ihn hinein* (Ausdrücke, die ich von Peter Wust im Gedächtnis behalten habe). Da steckt, was doppelte Prädestination sagte. Doch ist es damit noch nicht voll ausgesagt. Wir greifen noch einmal auf Kapitel 8,32 zurück. Da steht, Gott hat seines eigenen Sohnes nicht verschont, sondern hat ihn für uns alle dahingegeben.

Hier haben wir wieder das παρέδωκεν, das uns in Kapitel 1 so sehr beschäftigt hat. Und hier heißt es nun wirklich: Gott gibt seinen Sohn dahinein, mitten in die grausamen Antithesen. Ps. 106,23 steht der Ausdruck »in den Riß«. Das in Gen. 3 angekündigte, in den drei παρέδωκεν über unsern Häuptern schwebende, in der Summe von Kapitel 1 und dem Zitatenbündel von Kapitel 3 immer wieder erscheinende Todesurteil ist vollzogen. Für den Tod und die Auferstehung Jesu Christi noch einmal eine neue und endgültige Verdeutlichung. Jesus Christus ist dahingegeben, um uns alles zu schenken. Er ward der Verworfene, damit wir gerettet seien. Das Gesetz ist an sein Ziel und an sein Ende gekommen. Die Tür wird geöffnet zum Heil für Heiden und Juden. Juden hatten einen Vorsprung. Sie sind wie bei einem Wettlauf überholt worden. Es sieht aus, als träten die Heiden nun für immer an ihren Platz. Aber Gott läßt sein Volk nicht fallen. In die Wurzel Jesse sind die wilden Schößlinge eingepfropft. Sie sollen nun nicht stolz werden und in den Fehler fallen, den Juden vor ihnen taten. Sonst könnte es dann noch einmal einen Tausch geben, daß auch sie wieder ausgerottet würden, um Israel Platz zu machen – aber so soll Israels Heimkehr nicht geschehen. Es eröffnet sich der Ausblick, daß die einen wie die andern nach dem unerforschlichen Plane Gottes miteinander in das Heil berufen sind. Wir finden eine Überschrift: *Heiden mit den Juden im gleichen Heil.* Und wir erkennen, daß die Kapitel 9–11 zurückbezogen sind auf den Abschnitt 1,18–3,20. Auch über sie spannt sich also ein Bogen, und sie erhalten die Gesamtüberschrift aus dem Dekalog: Ex. 20,5b–6. »Ich der Herr, dein Gott, bin ein eifriger Gott, der die Missetat der Väter heimsucht bis ins dritte und vierte Glied an den

Kindern derer, die mich hassen« (soweit reicht der Text über 1,18–3,20) »aber Barmherzigkeit erweist an vielen Tausenden« (das steht als geheime Überschrift über 9,1–11,36). So gewinnen wir den Eindruck, daß das Baugefüge der Kapitelfolge dem Stützenwechsel in einer Basilika gleicht, wo Pfeiler und Säule miteinander abwechseln.

IV.

Gottesdienst als Konsequenz der Barmherzigkeit
Neuauslegung der Gebote: Die Liebe ist des Gesetzes Erfüllung

Und nun treten wir in den letzten Abschnitt 12–16 ein. Darüber steht ζήσεται, das letzte Stück vom Thema 1,17. Es geht um die Konsequenz aus der Barmherzigkeit, um den rechten Gottesdienst. Dabei kommt viel auf den allerersten Satz an. Die Leiber, die zum Opfer gegeben werden sollen, beziehen sich zurück auf τὰ σώματα (1,24). Sie sind gestorben und im Gleichbild der Auferstehung lebendig gemacht (Kap. 6). Das παραστῆσαι entspricht dem παραστήσατε eben in Kapitel 6,13. Und das nun zu Tuende ist das Gegenteil von τὰ μὴ καθήκοντα aus 1,28. Wenn Paulus vom Verändern spricht, kann er das Verbum μεταλλάσσειν aus 1,24,26,28 nicht mehr verwenden. Es ist negativ besetzt. Er nimmt ein anderes Wort, um die Gestaltwerdung im Sinne des neuen Daseins auszudrücken. Und dann gibt Paulus den Christenmenschen die zweite Dekalogtafel in die Hand (13,9–10). Es gibt viel Anspielungen an den Lasterkatalog. Dem Hochmut des Seinwollenden wird die Demut entgegengestellt. Dem sich Vereinzelnden die Gliedschaft in einem Leibe, darin einer für den andern da ist. Aber es wird kein Tugendkatalog entwickelt. Es wird nichts vorgeschrieben. *Was der Dekalog in seiner Summe meint, Liebe,* das wird ausgesprochen. Und nach einem Rückblick auf Kapitel 1,17: ἐκ πίστεως – εἰς πίστιν wird ersichtlich, daß die Liebe nichts in sich Selbständiges, sondern noch einmal wieder *eine Gestalt des Glaubens* ist. Ein ganz wichtiges Wort ist das δοκιμάζειν 12,2. Es gilt ein Abwägen, Prüfen, Entscheiden: was ist jetzt und hier das gebotene Gute? Es sieht aus, als ob es eine Situationsethik ist. Aber das trifft nicht zu. Ich bin nicht auf mich gestellt, die Situation zu deuten. Empfangene Barmherzigkeit gibt mir Weisung; Konsequenz aus der Barmherzigkeit an den Wegemarken des Dekalogs. Ich darf mit Einfall und Zuwendung neue Wege suchen. Es ist weder Normenethik noch Situationsethik, weder heteronome noch autonome Ethik. Es ist ein konsequentes Dienstleben in der Gliedschaft des Leibes Christi. Und darin bin ich frei von den σχήματα τοῦ αἰῶνος τούτου. Mein Dienst geschieht in der

Gemeinde und in der Welt. Ich gehorche der Obrigkeit, doch nicht blind. Auch sie ist unter Gott. Das δοκιμάζειν begleitet auch mein Gehorchen. Und zumeist bin ich dem zugewiesen, der als ein Schwacher meiner Aufmerksamkeit und Liebe am meisten bedarf.

Grüße (Kap. 16)

Zuletzt sagt Paulus Grüße für die Gemeinde in Rom, oder, wie einige meinen, für Ephesus, weil da ein Blatt vertauscht sein könnte. Anlaß zum Gruße ist genug für da und dort und anderswo.

V.

Zusammenfassung

Unsere Wanderung ist zuende. In mancherlei Windungen ist sie verlaufen. Dankbar konnten wir in die Fußtapfen derer treten, die den Weg vor uns gegangen sind. Dann und wann aber haben wir auch eigene Schritte gewagt, bisher unbetretene Pfade versucht und dabei, wie wir meinen, neue Zugänge gefunden. Immer wieder haben wir auch einmal Rast gehalten, zu erkunden, welche Ausblicke sich von neuen Standorten ergeben.

Wir haben Fundstücke mit heimgebracht und Einsichten daran gewonnen. Die gilt es nun noch zu sammeln, zu sichten und zu ordnen. Das Sammeln zielt auf die Vollständigkeit der auf unserm Wanderweg gemachten Einzelbeobachtungen. Das Sichten will die Beziehung von Einzelfunden unter einander aufweisen. Das Ordnen meint den Zusammenhang des Ganzen und gipfelt in der Erwartung, aus der Zusammenschau die Gliederung des Römerbriefes zu gewinnen.

Sammlung und Sichtung

a) Am Anfang stand der Zweifel, ob die Auskunft, der Lasterkatalog sei ungeordnet, zutreffe. Die vom Text angeregte Arbeitshypothese, der Lasterkatalog könne dekalogisch gegliedert sein, hat sich bei ihrer Überprüfung als probehaltig erwiesen. Die dekalogische Gliederung des Lasterkataloges darf als erwiesen gelten.

b) Damit war die Tür geöffnet, nach weiteren Bezugnahmen des Apostels auf das Alte Testament zu fahnden. Der Abschnitt 1,18–32 konnte aus Gen. 1–3 verständlich gemacht werden.

c) Damit ist Paulus als der Verfasser des 1. Römer-Kapitels als Schrifttheologe ausgewiesen, der nicht thematisch mit der Frage befaßt war, was der Mensch von sich aus über Gott wissen könne, sondern dem daran gelegen war, aufzuzeigen, wie der Mensch unter Gottes Offenbarung aussieht.

d) Damit geriet die bisher als unumstößlich geltende *communis opinio,* Kap. 1 handele von Heiden, denen dann in Kap. 2 die Juden hinzuaddiert würden, ins Wanken. Paulus spricht in Kap. 1 von der adamitischen Menschheit.

e) Damit wurde der Verkehrsstau vor dem Eingang zum 2. Kap. aufgehoben. Alle gelehrten Bemühungen, hier einen Zugang zu erzwingen – von der Umdeutung der Vokabeln über die Umschichtung von Adressaten bis zu gewaltsamen Eingriffen in die Textgestalt – haben sich im nachhinein als überflüssig erwiesen. Das Hindernis war nie etwas anderes als eine Halluzination.

f) Die beiden Kapitel stehen nicht im Verhältnis der Addition zu einander. Es geht im 2. Kapitel um den Nachweis, daß die in ihm Angeredeten immer schon in das Urteil des 1. Kapitels integriert sind und sich nicht daraus ausklammern dürfen.

g) Damit rücken die beiden Kapitel enger zusammen. Ihre Aussagen können in einer Art Zusammenschau gelesen werden, in der sich dann zeigt, daß die drei παρέδωκεν-Sätze und die Auswahldreiheit der Gebote aus dem Dekalog 2,21–24 wechselseitig aufeinander bezogen sind und zwar in umgekehrter Reihenfolge.

h) Das besagt zweierlei: Die Reziprozität bringt die Gleichstellung in der Schuldsituation zum Ausdruck; die unterschiedliche Reihenfolge erklärt sich daraus, daß die Abfolge der Aussagen in Kap. 1 von Gen. 3 hergeleitet wird, während die Dreiheit in Kap. 2 der chronologischen Folge der Geschichte Israels verpflichtet ist.

i) Die Komposition der Zitate 3,10–18 erwies sich als exakt nach der α-Privativareihe aufgebaut.

j) Dabei fiel uns der Echtheitsbeweis für ἄσπονδος in den Schoß.

k) Als Überschrift über den Teilabschnitt 1,18–3,20 finden wir: Juden mit den Heiden im gleichen Unheil.

l) Die Gliederung des Abschnittes Kap. 3,21–8,39 konnte als Abfolge der aus der ersten Dekalogtafel abgeleiteten Grundbegriffe: Gerechtigkeit, Friede, Gemeinschaft, Freiheit, Wahrheit aufgewiesen werden.

m) Diese Begriffsgruppe fügt sich der aus dem Habakuk-Zitat 1,17 gewonnenen

Groß-Gliederung als Detailgliederung dergestalt ein, daß sie den Begriff Gerechtigkeit aus Glauben inhaltlich füllt.

n) Der Abschnitt Kap. 9,1–11,36 verlor den Charakter eines Exkurses und erwies sich als rückbezogen auf den Abschnitt 1,18–3,20. Wir fanden dafür (in Entsprechung zu Ziff. k) die Überschrift: Heiden mit den Juden im gleichen Heil. Die in der Schöpfung begründete Eschatologie läuft mit der in der Erwählung begründeten Eschatologie zusammen. In ihrem Kreuzungspunkt steht der Eckstein, an dem die Entscheidung über Heil und Unheil fällt.

o) Der Abschnitt Kap. 12,1–15,13 entfaltet schließlich das ζήσεται aus dem thematischen Habakuk-Zitat 1,17. Dieser Abschnitt ist also in gleicher Weise zurückverbunden zu Kap. 3,21–8,39, wie wir das bei den Abschnitten 1,18–3,20 und 9,1–11,36 gesehen haben. Das brachte uns auf den Vergleich mit dem Stützenwechsel in einer romanischen Basilika, denn hier sind ja zwei in sich zusammengehörende Abschnitte gegeneinander versetzt und ineinander verzahnt.

Ordnung

Diese Arbeit trägt die Überschrift »Der Römerbrief, ein dekalogische Komposition«. Unsere nunmehr aufgeführte Ausbeute hat vielerlei dekalogische Bezugnahmen zutage gefördert. Sie alle aber würden die gewählte Überschrift noch nicht rechtfertigen. Sie ließen sich in den schlichteren Titel »Der Dekalog im Römerbrief« einfangen. Unsere Absicht geht aber darüber hinaus. Erst jetzt, da wir die Bauelemente beisammen haben, können wir unsere Aufmerksamkeit dem Gefüge des Zusammenhanges zuwenden.

Wir haben soeben auf den engen Verbund der Abschnitte 3,21–8,39 und 12,1–15,13 einerseits und 1,18 bis 3,20 und 9,1 bis 11,36 andererseits hinhingewiesen. Die Zusammenführung und daraus folgend die Zusammengehörigkeit dieser beiden Großabschnitte ist jetzt unser Problem.

Nachgewiesen ist die gliedernde Füllung des thematischen Begriffs der Glaubensgerechtigkeit aus dem Habakuk-Zitat (1,17) durch die erste Dekalogtafel. Ebenso einsichtig wurde, daß der Abschnitt 12,1–15,13 die Neuauslegung der zweiten Dekalogtafel in der Christusgemeinschaft betreibt.

Nicht in den Blick gekommen ist dabei der Satz aus dem Dekalog: »Denn ich, der Herr, Dein Gott, bin ein eifernder Gott, der die Missetat der Väter heimsucht, bis dritte und vierte Glied an den Kindern derer, die mich hassen, aber Barmherzigkeit erweise an vielen Tausenden, die mich lieben und meine Gebote halten.« (Ex. 20,5b–6.)

Wir hatten diesen Satz aufgeteilt und seine Aussage von der *Heimsuchung des eifernden Gottes* dem Abschnitt 1,18–3,20 zugewiesen, während wir den Vers, der von der *Wohltat des barmherzigen Gottes* spricht, dem Abschnitt 9–11 zuordneten. Das könnte wie Perfektionismus eines Puzzlespielers anmuten, aber es wird sich nun erweisen, daß dieser Satz für die Entstehung des Römerbriefes und damit für die Erkenntnis seines bestehenden Gefüges von ebenso großer Bedeutung ist, wie der mit Recht immer thematisch verstandene Zitatsatz aus Habakuk 2,4: »Der Gerechte wird seines Glaubens leben.« Ex. 20,5,6 ist Überraschendes zu entnehmen: Daß der eifernde Gott Gericht übt und daß der barmherzige Gott wohltut, entspricht der doppelten Apokalypse 1,17 und 1,18. Das doppelte γαρ, mit dem Paulus die beiden ἀποκαλύπτεται einleitet, reicht also hinter Habakuk zurück bis zum Dekalog selbst. Paulus sagt, was an Gericht und Heil im Dekalog angesagt ist, das ereignet sich in der Stunde des Evangeliums. Paulus legt den Dekalog christologisch aus.

Was ist angesagt?

Die Heimsuchung der Missetat der *Väter* an den Kindern bis ins dritte und vierte Glied. Haben wir hier nicht die Bestätigung dafür, daß unsere Annahme zu Recht besteht, wenn wir bei den Schuldvorwürfen des Kap. 2 an die prominenten *Väter* der Großgeschichte Israels gedacht haben?
Wichtiger aber ist, daß der angeführte Dekalogsatz eine *Terminansage* für den Anbruch des Heils enthält. »Gott will nicht für immer hadern, noch ewiglich zornig bleiben« (Ps. 103,9). Das Gesetz wird ein Ende haben. Nun wird auch die große Verwandtschaft zu Habakuk 2,1–4 offenbar: Die Weissagung wird ja noch erfüllt werden zu ihrer Zeit und wird endlich frei an den Tag kommen (Hab. 2,3). Habakuk kann deshalb darum bitten: »Mache es lebendig, dein Werk, und lasse es kund werden in naher Zeit. Im Zorn denke an Barmherzigkeit« (Hab. 3,2). Von Ex. 20,5,6 kommt Paulus zu der Formulierung: *Christus ist des Gesetzes Ende*. Dies ist die Kurzfassung der Damaskuseinsicht. Paulus kann sie noch nicht im Abschnitt 1,18–3,20 aussprechen. Darum folgt sie denn auch erst genau in der Mitte des Abschnittes 9–11. Aber allein vom Vorwissen um ihre Wahrheit her ist alles im Abschnitt 1,18–8,20 Vorgebrachte überhaupt erst aussagbar. So gesehen dürfte der Satz: »Christus ist des Gesetzes Ende« als der erste Satz des Römerbriefes überhaupt gelten, als der Kristallisationskern, um den alles andere sich herumgebildet hat. Die Vorstufe dafür haben wir im Galaterbrief, in dem wir schon die Diskussion um das Ende des Gesetzes antreffen, ohne daß diese Kurzformel dafür schon gefunden wäre (Gal. 3). Hier haben wir auch die Aussage von der »erfüllten Zeit« (Gal. 4,4). Und hier kommt bereits Hab. 2,4 ins Spiel (Gal. 3,11),

worauf wir schon hingewiesen hatten. Die Hervorhebung des Zeitpunktes bewirkt, daß Paulus in dem Doppelabschnitt des Römerbriefes, von dem wir eben reden, *ereignishaft* vom Heile spricht.

Dem steht in dem anderen Doppelabschnitt 3,21–8,39 und 12,1–15,13 eine Redeweise gegenüber, die eher zustandsmäßig, *seinshaft* von der Glaubensgerechtigkeit spricht. Das ist nur möglich, wenn das Heil als Ereignis eingetreten ist. Insofern ist dieser Doppelabschnitt dem vorhergehenden gegenüber als der zweite anzusprechen, was freilich keine Rangfolge bedeutet. Daß das Heilsereignis vorausgegangen ist, ehe von Heilsgegenwart geredet werden kann, geht aus dem betonten νυνὶ δὲ (3,21) hervor. Der Kernsatz »Christus ist des Gesetzes Ende« (10,4) übt seine Ausstrahlung auf den Abschnitt 3,21ff aus. Insofern sind die beiden großen Doppelabschnitte aufeinander zu komponieren.

Der das Gesetz ereignishaft zu seinem Ende bringende Christus hat nun seinshaft den Platz des Gesetzes eingenommen. »Christus ist hier, der gestorben ist, ja vielmehr, der auch auferweckt ist, welcher ist zur Rechten Gottes und vertritt uns« (8,34). Wir geben dem Abschnitt darum die zusätzliche Überschrift: Christus praesens. Das gilt für den Teilabschnitt 3,21–8,39 ebenso wie für den Teilabschnitt 12,1–15,13.

Die von Exodus 20,5b–6 abgeleitete *ereignishafte Heilsansage* wird bereits im Themasatz Röm. 1,16 und 17 mit der aus Habakuk 2,4 abgeleiteten *seinshaften Heilsaussage* zu einer Einheit zusammengebunden.

Beides findet auch im Schlußabschnitt 12,1–15,13 noch einmal seinen Niederschlag. Mit dem ζήσεται (1,17) als dem lebendigen Dienstvollzug in der Seinsgemeinschaft mit Christus verbindet sich die Rückerinnerung an den Dekalog 13,8ff. In Ex. 20,6 liegt die Wurzel für den Satz: »Die Liebe ist des Gesetzes Erfüllung (13,10). Die Ermöglichung dafür liegt in der Ereignis gewordenen Barmherzigkeit (Ex. 20,6) an die ermahnend erinnert wird. (12,1). Daß Paulus nicht von Gott als ποιῶν ἔλεος spricht, sondern διὰ τῶν οἰκτιρμῶν τοῦ θεοῦ sagt, spricht keineswegs gegen die Annahme eines ausdrücklichen Dekalogbezugs des Apostels. LXX verwendet häufig beide Begriffe synonym und kommutativ. διὰ τῶν οἰκτιρμῶν hat Ereignischarakter – ebenso wie die Wendung: ... der »Glaube *kam*« (Gal. 3,29). Der Satz: ... »Die mich lieben und meine Gebote halten«, verliert seinen konditionalen Sinn. Er gewinnt ein konsekutives Verständnis und beschreibt nun das ζήσεται, das Leben der Christengemeinde.

Gliederung

Erwägungen zur Entstehungsgeschichte machen das Baugefüge durchsichtig und sind insofern der nunmehr beabsichtigten Erstellung einer *Gliederung* förder-

88

lich. Im Vorfeld der Briefkonzeption ist mit zwei zunächst selbständigen Gedankenreihen zu rechnen. Sie haben ihren Niederschlag in den Textabschnitten A = 1,18–3,20 + 9,1–11,36 einerseits und B = 3,21–8,39 + 12,1–15,13 andererseits gefunden. Die zunächst als voneinander unabhängige Ganzheiten zu denkenden Textabschnitte haben wir eben *inhaltlich* unterschieden. Den Abschnitt A charakterisierten wir als *ereignishafte Heilsansage*. Den Abschnitt B nuancierten wir als *seinsmäßige Healsaussage*. Beide lassen sich auch *formal* unterscheiden. Abschnitt A hat eine größere Dichte an Zitaten, die dialogisch und argumentativ ausgelegt werden. Der ursprüngliche Sitz dieser Darlegungen ist die Auseinandersetzung des Apostels mit der Glaubenstradition, aus der er herkommt.
In Abschnitt B ist der Redestil *verkündigend, bekennend, ermahnend.* Kommen Schriftzitate darin vor, so werden sie weniger exegetisch *ausgelegt* als evangelistisch und seelsorgerlich *zugesprochen.* Der Sitz dieser Redeweise ist die Missionspredigt des Paulus. Indem der Apostel beide Gedankenreihen, wie wir sahen, auf den Dekalog beziehen, werden sie koordinierbar.
Der erste Schritt ist eine Unterteilung beider Reihen:
A_1 = 1,18–3,20, von Ex. 20,5b her überschrieben:
    Die Heimsuchung des eifernden Gottes
A_2 = 9,1–11,36, von Ex. 20,6 her überschrieben:
    Die Wohltat des barmherzigen Gottes
B_1 = 3,21–8,39, von Hab. 2,4 her überschrieben:
    Der aus Glauben Gerechte . . .
B_2 = 12,1–15,13, von Hab. 2,4 her überschrieben:
    . . . wird leben.
Diese Unterteilungen werden gleichsam auf Lücke gestellt:
    A_1
            B_1
                A_2
                    B_2
und dann in die lineare Abfolge der heutigen Briefgestalt A_1 – B_1 – A_2 – B_2 gebracht.
Jetzt läßt sich der Brief, wie folgt, gliedern:

Gliederung

1,1 bis 7 Gruß

1,8 bis 17 Einleitung, gipfelnd:

1,16 bis 17 im Themasatz.

A₁ 1,18–3,20 DIE HEIMSUCHUNG DES EIFERNDEN GOTTES
Die Zornesapokalypse.
Juden mit den Heiden im gleichen Unheil.

1,18–32 Die adamitische Situation

2,1–3,8 Die Juden in der adamitischen Situation, dargestellt an den »Vätern«.

3,9–20 Die Ausnahmslosigkeit, dargestellt in der nach der ersten Dekalogtafel aufgebauten Zitatenkomposition.

3,11–18

B₁ 3,21–8,39 Christus praesens
Die Gerechtigkeit aus Glauben, entfaltet als

3,21–4,25 Gerechtigkeit (Abraham)

5,1–21 Friede (Adam)

6,1–11 Gemeinschaft (Todes- und Lebensgemeinschaft mit Christus in der Taufe)

6,12–7,25 Freiheit

8,1–39 Wahrheit als geistgewirkte Gewißheit der neu geschenkten Gotteskindschaft.

A₂ 9,1–11,36 DIE WOHLTAT DES BARMHERZIGEN GOTTES (Ex. 20,6)
Christus, des Gesetzes Ende.
Heiden mit den Juden im gleichen Heil.

9 Die Öffnung der Erwählungsgrenze: der Eintritt der Heiden.

10 Das Ende des Gesetzes. Die Predigt.

11 Die Öffnung der Verwerfungsgrenze: Israels Heimkehr.

B₂ 12,1–15,13 Christus praesens
Das Leben der aus Glauben Gerechten in der Dienstgemeinschaft mit Christus
Die Liebe als des Gesetzes Erfüllung.

12 in der Gemeinde

13 in der Welt

14,1–15,13 gegenüber den Schwachen

15,14–33 persönliche Mitteilungen und Ermahnungen

16 Grüße

So sieht nun der Römerbrief aus:

1. Über dem Portal, durch das wir hineinschreiten, ist im Bogenfeld das Thema zu erkennen: Die Rettung ist da. Der aus Glauben Gerechte – wird leben. Da Habakuk das Wort dargeboten hat, danken wir ihm für seinen Dienst dadurch, daß wir seiner reichen Bilderfülle aus dem Zyklos der Sintfluterzählung die Anregung entnehmen, die Glaubensgerechtigkeit im Gleichnis der Arche darzustellen. Ihr Bild kommt also in das Tympanon. Und bei der Rückschau (Gen. 6,9) entdecken wir, daß Noah der δίκαιος heißt, der aus Glauben leben darf.

2. Wir sind eingetreten: Als Schlußstein der ersten Gewölbekuppel sehen wir die Erdscheibe als Kennzeichen der adamitischen Menschheit. Über der Erdscheibe stehen die Gesetzestafeln und vor ihnen befindet sich ein Schwert, das bis in die Mitte der Scheibe droht.

3. Das folgende Gewölbe ist zusammengehalten durch das Anakephaleion: Jesus Christus hat den Platz des Gesetzes eingenommen.

4. In der Vierungskuppel ist der »Fels« die Summe der Aussage. Die Menschheit brandet gegen diesen Fels. Aus dem einen Seitenschiff kommen die Juden, Kaiphas führt sie an. Aus dem anderen kommen die Heiden, an ihrer Spitze Pilatus. Da sind sie also wieder beieinander: Der Sem als Nomist und der Japhet als Autonomist. Wieder kommen sie zur Kooperation, aber diesmal nicht, um gemeinsam das Menschenbild zu ehren, zu verhüllen, sondern ihm das Gewand abzureißen. Es ist keine spontane Zusammenarbeit, es steckt Nötigung und Erpressung darin. Sie handeln wie unter Zwang. Aber einer schiebt dem anderen den Vollzug zu. Kaiphas gibt sein Amt ab. Der Nomos ist nicht mehr repräsentiert. »Kirche« wird »Welt« – und »Welt« wird »Kirche«. Wieder der Vorgang einer ἀλλαγή. Wieder der Vorgang der ‚Proskynese‘. Das κατακυριεύειν geht an Pilatus über. Israel gibt seinen κύριος preis. Israel hat keinen βασιλεύς mehr, denn nur den Kaiser. Aber der Autonomist ist auch am Ende. Er funktioniert nur noch. Seine Amtsauskünfte stimmen: *Ecce homo* ist ein Ex-Cathedrasatz. Aber mit dem Sprecher dieses Satzes stimmt es nicht mehr. Er ist ein gespaltener Mensch. Er offenbart seinen Identitätsverlust, indem er ihn verbergen will. Er müßte freisprechen – und weiß das nicht nur aus sich selbst, er wird ausdrücklich darauf hingewiesen, daß der Angeklagte der δίκαιος (Matth. 27,19) ist. Aber er spricht doch das Todesurteil über ihn aus – von Amts wegen – und versucht als Person sich davon zu distanzieren. Aber gerade so gesteht er wider Willen seine Schuld ein. »So ist nun kein Unterschied« – zwischen Sem und Japhet, zwischen Kaiphas und Pilatus.

Und Ham ist auch da. *O quae mutatio rerum:* Da ist einer, der hängt mit am Galgen. Er ist der ὁμοίωσις des Gekreuzigten ausgesetzt und er gibt zu, daß er da am richtigen Platz sei, am Platz, der ihm gebühre. Und da empfängt er den hellen Schein der Doxa Jesu Christi, während sein Mitgenosse am gleichen Ort sich weigert, sich der ὁμοίωσις des Gekreuzigten auszuliefern. Alle werden vor dem Fels zu Ham. Da fällt die Entscheidung. »Scheitern an Gott«, oder »Scheitern in Gott« hinein – das ist hier die Frage. Das ist's, was übrigbleibt von der Prädestination. Und das andere bleibt auch, und das ist's, was übrig bleibt von der Apokatastasis, Pontius Pilatus macht es kund, er hat ja noch von Amts wegen das Sagen: *Jesus Christus Rex Judaeorum* in Hebräisch, Griechisch und Lateinisch, universal ausgerufen!

5. Und dann folgt der Eintritt in den Raum, wo Liturgie und Diakonie wieder eins sind, in dem Dienstraum des Leibes Christi. Und die Zusammenfassung für diesen Raum lautet: πλήρωμα οὖν νόμου ἡ ἀγάπη.

Die Liebe ist des Gesetzes Erfüllung.

LITERATURVERZEICHNIS

Texte:
Novum Testamentum Graece, ed. Nestle, 15. Aufl. 1932
Biblia Hebraica, ed. R. Kittel/P. Kahle, Editio Quinta
Septuaginta, ed. Alfred Rahlfs, Editio Tertia
Polyglotten-Bibel, Stier und Theile, 1890
Altjüdisches Schrifttum außerhalb der Bibel, übersetzt und erklärt v. Paul Rießler, 1928
Augsburg

Lexika:
Bauer, Walter, Griechisch-Deutsches Wörterbuch zu den Schriften des Neuen Testamentes, 2. Aufl. 1928 Gießen
Kittel, Gerhard. Theolog. Wörterbuch zum Neuen Testament, 1933 ff. Tübingen

Kommentare:
Althaus, Paul, Der Brief an die Römer, NTD, 5. Aufl. Göttingen
Asmussen, Hans, Der Römerbrief, 1962 Stuttgart
Barth, Karl, Der Römerbrief, 6. Aufl. 1933 München
Brunner, Emil, Der Römerbrief, 1951 Berlin
Elliger, Karl, Das Buch der zwölf Kleinen Propheten, ATD 25; 3. Aufl. 1956 Göttingen
Etzold, Otto, Gehorsam des Glaubens, 1947, Gütersloh
Godet, F., Kommentar zu dem Brief an die Römer, 1882, Hannover
Käsemann, Ernst, An die Römer, 3. Aufl. 1973 Tübingen
Kroeker, Jakob, Römerbrief 1–8, 1948 Stuttgart
Kürzinger, Joseph, Der Brief an die Römer, 1951 Würzburg
Luther, Martin, Vorlesung über den Römerbrief 1515/1516; Münchener Luther-Ausgabe, Ergänzungsreihe 2. Bd.
Lietzmann, Hans, An die Römer, 4. Aufl. 1933 Tübingen
Michel, Otto, Der Römerbrief, 11. Aufl. 1957, Göttingen
Noth, Martin, Das Dritte Buch Mose, ATD 6, 1962 Göttingen
Nygren, Anders, Der Römerbrief, 1951 Göttingen
v. Rad, Gerhard, Das Erste Buch Mose, ATD 2, 1953 Göttingen
Schlatter, Adolf, Gottes Gerechtigkeit, ein Kommentar zum Römerbrief, 1935 Stuttgart
Weiß, Bernhard, Brief an die Römer, 8. Aufl. 1981 Göttingen
Zahn, Theodor, Der Brief des Paulus an die Römer, ausgelegt 1910 Leipzig

Sonstige Literatur:
Althaus, Paul, Paulus und Luther über den Menschen, 2. Aufl. 1951
Barth, Karl, Christus und Adam, nach Römer 5, ein Beitrag zur Frage nach dem Menschen und der Menschheit, 1952, Zürich
Bornkamm, Günther, Das Ende des Gesetzes, Beiträge zur Evangelischen Theologie, Bd. 16, 1961, München
Bornkamm, Günther, Paulus, 1969, Stuttgart
Bultmann, Rudolf, Glossen zum Römerbrief. Theol. Lit. Ztg. 72 (1947) Sp. 197–202
Dächsel, Theobald, Paulus, der Apostel Jesu Christi, 1930, Dresden
Daxer, Römer 1,8–2,10 im Verhältnis zur spätjüdischen Lehrauffassung, Rostock, 1914
Fuchs, Ernst, Die Freiheit des Glaubens, Römer 5–8 ausgelegt, 1949, München
Wibbing, S., Die Tugend- und Lasterkataloge im Neuen Testament und ihre Traditionsgeschichte mit besonderer Berücksichtigung der Qumran-Texte 1959

93

Bertram, Ernst, Nietzsche, Versuch einer Mythologie, 6. Aufl. 1922 Berlin

Bloch, Ernst, Das Prinzip Hoffnung, 1959 ff., Frankfurt

Bloch, Ernst, Religion im Erbe, 1967, München und Hamburg

Nietzsche, Friedrich, Werke, ausgewählt und eingeleitet von August Messer, 1930, Leipzig

Nietzsche, Friedrich, Freundesbriefe, ausgewählt von Richard Oehler, o. J., Leipzig

Steinmann, Ernst, Die Sixtinische Kapelle, Bd. 1, 1901, München

Wolfgang Metzger

Die letzte Reise des Apostels Paulus

Beobachtungen und Erwägungen zu seinem Itinerar
nach den Pastoralbriefen

Arbeiten zur Theologie, I, Heft 59, ISBN 3-7668-0526-6

64 Seiten, kt., DM 8,80

Ausgehend von der Annahme, daß sich hinter den Pastoralbriefen die profilierte Persönlichkeit eines eng mit ihm zusammenarbeitenden »Sekretärs« erkennen läßt, ergibt sich aus diesen Dokumenten die Sicht einer letzten Reise des Apostels. Muß hier auch vieles aus spärlichen Angaben des Textes erst erschlossen werden, so läßt sich doch ein einleuchtendes Bild einer zusammenhängenden Reiseroute erkennen. Die Pastoralbriefe erweisen sich dabei als Quellen von historischem Wert und dokumentieren damit zugleich ihren »Sitz im Leben« des Paulus.

Wolfgang Metzger

Der Christushymnus 1. Timotheus 3,16

Fragment einer Homologie der paulinischen Gemeinden

Arbeiten zur Theologie, I, Heft 62, ISBN 3-7668-0617-3

164 Seiten, kt., DM 28,–

Der Sechszeiler 1 Tim 3,16 wird in der vorliegenden Arbeit nicht als isoliertes Stück gesehen, sondern aus dem Zusammenhang des ganzen Briefes heraus verstanden. Aus der Erkenntnis der antihäretischen Funktion des Zitats ergibt sich für den Vf., daß es sich nicht um einen Thronbesteigungshymnus handelt, sondern die Epiphanie des Christus zwischen Inkarnation und Himmelfahrt Gegenstand dieses hymnischen Stücks ist.

Eine ganze Reihe anderer Stellen des Briefes lassen sich nach der Sicht des Vf. zu einem Ganzen zusammenfügen, das als hymnisches Bekenntnis zumindest im Raum der paulinischen Gemeinden in Gebrauch war.

(Preise vom Januar 1981, Änderung vorbehalten.)